CU00664021

LE ROI DU KLONDIKE

KLONDIKE

Raymond Auzias-Turenne

Copyright pour le texte et la couverture © 2023 Culturea
Edition : Culturea (culurea.fr), 34 Hérault
Contact : infos@culturea.fr
Impression : BOD, Norderstedt (Allemagne)
ISBN : 9791041972425
Date de publication : juillet 2023
Mise en page et maquettage : https://reedsy.com/
Cet ouvrage a été composé avec la police Bauer Bodoni
Tous droits réservés pour tous pays.

I

AÉLIS

Les dieux ne sont pas morts; seulement, pour nous punir d'avoir perdu la foi, ils ont quitté la terre, et la triste planète s'en va, se refroidissant toujours, de par l'éternité. Plus miséricordieuses, les déesses, leurs filles ou leurs sœurs, reviennent quelquefois parmi nous: ainsi, la sœur d'Apollon aime encore à courir nos forêts, aux heures où s'endorment les villes et les peuples. Lorsque l'aube survient avant la dispersion de ses nymphes, si vous êtes né sous un signe favorable, vous pouvez en rencontrer une. Vous ne l'oublierez plus.

Tout à l'heure, soixante-dix livres de pression faisaient cabrer l'*elevated* sur ses rails d'acier pour vous emmener vite, plus vite à la Bourse; plus vite encore, les statistiques, les équations, tous les chiffres du monde partaient, s'envolaient, revenaient dans votre cerveau prêt à la bataille. En bas, dans les rues noires qui s'ébranlaient sous le passage de votre locomotive, en haut, dans les wagons à côté de vous, sur les bancs, chacun si près, si loin de ses voisins, on se ruait à la curée, à la bataille du pain quotidien... Une porte s'ouvre, une bonne odeur de matin vous frappe au visage, balaie, emporte les soucis qui envoyaient trop de sang à la tête et pas assez au cœur. Redressez-vous, ouvrez les yeux tout grands, regardez bien, car c'est elle qui daigne apparaître, elle, Daphné ou Syrinx, sous un déguisement moderne.

Frank Smith, administrateur des Télégraphes unis de la Bourse, était dans son bureau, ce matin-là, comme tous les matins, ne songeant à rien de mythologique. Aux trois coups à sa porte, il avait répondu machinalement: «Faites entrer», puis s'était replongé dans ses calculs.

—Bonjour, monsieur! dit-elle, en même temps que sonnaient neuf coups à la pendule.

Si légère était sa démarche que Frank Smith ne s'était pas aperçu de sa présence. Avant de se tourner de côté, il jeta un coup d'œil sur son agenda, et en tête du programme de la journée, il lut avec ennui:

Neuf heures a/m: Miss d'Auray. — Une place!

et puis au-dessous:

Envoi de Bloch. — Dieu le bénisse!

Alors, il leva les yeux, eut un sursaut d'étonnement et, se dressant à demi:

— Voulez-vous prendre la peine de vous asseoir, mademoiselle?

Elle eut une gracieuse inclination du buste et se posa doucement sur le bord d'un fauteuil, pendant qu'il la regardait de nouveau malgré ses soixante ans et sa sagesse. Une aurore subite, avec un parfum de printemps, illuminait maintenant la pièce, et dans la cervelle de Smith, où dansaient tout à l'heure les millions, il n'y avait plus qu'une seule pensée: «*Great Scott!* qu'elle est belle!»

— M. Bloch m'a fait espérer qu'en m'adressant à vous, monsieur, je trouverais peut-être ce que je cherche...

Sa voix claire d'enfant tremblait un peu, comme ses lèvres.

— J'ai, en effet, reçu un mot de lui, mademoiselle. Il me parle de ce que vous désirez. Il est très fort pour...

Frank s'arrêta net, mais les années n'avaient pu calmer la fougue qui l'avait fait arriver au sommet de la pyramide sociale. Entre haut et bas, il envoya Bloch à une damnation quasi éternelle. Capon qui, sans le consulter, empruntait la bouche d'un ami pour dire: «Non!» à la plus jolie fille du monde, dans ce New-York où le marché encombré ne leur offre même pas une bouchée de pain honnête!

Elle reprit très rouge:

— Je voudrais gagner ma vie, monsieur... Je suis bonne télégraphiste. Il y a longtemps que je cours de bureau en bureau... que je cherche... et je croyais enfin...

Elle aussi s'arrêta: ses grands yeux violets s'assombrirent, un voile humide les recouvrit, et puis leurs paupières s'abaissèrent, muettes. Frank Smith regarda la fenêtre, la pendule électrique et enfin son

3/142

interlocutrice. Il vit un visage où l'amertume, la mortelle lassitude d'une jeune vie criaient si fort qu'il répondit presque malgré lui:

—Je ne veux pas vous faire de peine, mademoiselle, mais vous êtes des milliers à demander... des milliers, entendez-vous?... et il y a bien peu de places à donner. Cependant je ne vous laisserai pas partir sans vérifier votre habileté. Vous paraissez sûre de vous: voulez-vous jouer du *duplex* devant moi?

Elle releva vivement la tête, ôta de suite ses gants troués:

—Certes, monsieur! À quel appareil faut-il me mettre?

Son empressement fit une certaine impression sur l'administrateur. Il lui désigna le manipulateur dont usait ordinairement son secrétaire, et commença aussitôt:

—Y êtes-vous?... Demandez Joseph Wilson, à Chicago. Prévenez-le que mon bureau va lui communiquer une statistique confidentielle des blés de la République Argentine...

—Bien, monsieur... Il est prêt.

Frank se mit à dicter: lentement, d'abord, puis, sur un rythme accéléré; enfin, avec la vitesse d'un graphophone dont le régulateur s'est déclenché. Aélis d'Auray le suivait toujours, mais Chicago cliqueta furieusement au récepteur:

—Holà! quelle mouche vous pique ce matin? Avez-vous le diable au bout des doigts?... Allez piano, pianissimo. La Bourse n'est pas encore ouverte!

L'administrateur se renversa en arrière, riant à gorge déployée:

—Bravo! oh! là là! Je vous fais mes compliments, mademoiselle. Vous êtes d'une jolie force pour expédier la pensée humaine... Et pour la recevoir? Vous savez que c'est plus difficile.

—Je puis essayer le récepteur.

—Parfait!... Attendez un peu.

Lui-même, il appela Wilson:

—C'est vous, Joe?

—Oui, mon vieux. Comment allez-vous?

—Pas mal. Et vous? Bien, je suppose. Voulez-vous me faire télégraphier n'importe quoi par le plus rapide de vos clercs? J'essaie un débutant, et je crois que vous aurez de la peine à l'embrouiller.

—Allons donc! est-ce que vous savez faire chanter les volts, vous autres, à New-York!... Je vais vous livrer à mon numéro 1. Gare à vous!

—*All right. Go!*

Par-dessus les villes tumultueuses, à travers les campagnes tranquilles, l'éclair des fils trembla de la reine de l'ouest à la reine de l'est: il charriait un véritable torrent de paroles entre les deux grandes rivales. Le chapitre III de la Bible: «Or, le serpent était le plus rusé de tous...» jaillissait de chez Wilson, bondissait par delà quinze cents kilomètres, s'en venait à la même seconde couler aux doigts d'Aélis; et Frank Smith n'entendait plus qu'un bourdonnement de mots: «Adam... saisi de crainte... du fruit de l'arbre...», quand la jeune fille, sans arrêter Chicago, télégraphia d'une main:

—Allez plus vite, s. v. p.

Le chapitre III, Adam, Ève et le serpent, tout cela se fondit aussitôt en la plus extraordinaire, la plus foudroyante des imprécations. Aélis l'attrapa au vol et rougit en même temps. L'administrateur sauta sur la feuille, poussa un cri, saisit le manipulateur. Maintenant Chicago hurlait:

—Qui est-ce qui est à l'autre bout de la ligne, là-bas? Nous l'engageons, à n'importe...

New-York lui coupa la parole:

—C'est une jeune fille à peine sortie de l'école... Elle ne veut à aucun prix s'en aller dans ce trou de Chicago, où les gens sont mal élevés et lâchent des jurons... pas assez vite pourtant pour qu'elle ne les enregistre...

—Oh! pas possible!...

—Et comme elle n'a pas d'égale au monde, elle est nommée première télégraphiste de la Bourse, à New-York. Tant pis pour vous! Au revoir!

Frank Smith vit le soleil se lever sur un visage de femme, et, dans le silence, il crut entendre quelques mots entrecoupés. C'était, sans doute, la nouvelle employée qui le remerciait. Mais une autre voix, fort désagréable, celle de presque un demi-siècle d'expérience, lui disait à l'oreille:

«Vous avez parlé trop vite, mon ami. Sottise! Vous avez fait une sottise. Elle est trop jolie pour la Bourse, et pour vous qui êtes marié.»

Brutalement, alors, pour mieux secouer l'espèce de fascination qui pesait sur lui, il répéta à voix haute ce qu'il pensait tout bas et ajouta:

—N'importe, c'est dit, et chacun sait que ma parole vaut un chèque... Vous connaissez le métier à fond. Si vous pouviez vous défigurer ou devenir bossue, vous seriez parfaite. Telle que vous voilà, nous vous essaierons quand même à la corbeille. Mais, il vous faut d'abord jurer le secret le plus absolu sur tous les télégrammes, toutes les conversations que vous expédierez, que vous entendrez, que vous devinerez... Vous allez porter au bout de ces petits doigts bien des fortunes, et encore plus de ruines. Le seul moyen d'éviter les pièges que chacun vous tendra, ce sera d'être une machine, rien autre, entendez-vous? et qui saura tout et qui ne dira rien. Rien. À quel culte appartenez-vous?

—Je suis catholique romaine, née à New-York de parents français.

—Eh bien, miss d'Auray, vous allez jurer devant moi, sur le Christ qui ferme cette Bible, une discrétion pleine, entière, absolue. Levez la main; baisez la croix... que Dieu vous soit en aide!

II

TOM TILDENN

Cinq heures du matin. Là-bas, sans doute, les champs et les bois de la Nouvelle-Angleterre se réveillent au souffle de la brise; des prairies, des taillis, s'exhale une essence de vie nouvelle, et ces sourdines d'orgues lointaines qui chantent parmi les hautes herbes, c'est l'hymne des abeilles jusqu'à l'heure où frémissantes, comme enivrées, elles s'en vont, par les chemins de l'air, glissant vers la ruche qui embaume.

Et c'est une autre ruche aussi qui se réveille dans les faubourgs de New-York: après la nuit sinistre, étouffée par toutes les vapeurs qui sortent des pavés défoncés, des boues honteuses, des immondices amassées aux portes, les cloches des manufactures appellent tristement les travailleurs: «À la besogne! à la besogne!» Un moment, le sommeil, cette demi-mort presque aussi miséricordieuse que l'autre, leur a donné le repos et l'oubli; déjà aux cris du bronze, parmi les sifflements de la vapeur, ils s'en retournent vers leur tâche, les hommes aux corps jamais dispos, les femmes à l'âme plus lasse encore, les enfants que Moloch réclame et broie et dévore plus avidement qu'aux jours de Carthage. Sur eux, les portes lourdes se referment; et la cité de luxe, un peu plus loin, ressuscite à son tour...

Son bonnet de fourrure gaillardement incliné sur l'oreille, son bâton court sous le bras gauche, le policeman Patrick O'Hara, hume le brouillard du *Central Park*; lui du moins il est heureux de vivre. Cette belle matinée, qui lui rappelle Erin la Verte, a débuté par une dîme prélevée sur le bar de la 109e rue; maintenant, c'est une faction de quatre heures, ou plutôt une flânerie à travers l'air qui sent frais, car le parc est encore désert, et un honnête Irlandais peut gagner l'heure du lunch sans se surmener. Pourtant... oui, c'est bien une voiture... on ne la distingue pas encore, mais on l'entend, et, par saint Patrick, elle va beaucoup trop vite!

— Holà! arrêtez! arrêtez donc, l'homme!... Je vais vous...

Phuitt! où sont-ils, les deux trotteurs, qui ont déchiré la brume, paru et disparu comme si le diable les menait? Pat, son assommoir en main, ouvre la bouche et l'oreille; mais il n'entend plus rien. Alors, il exécute une sorte de gigue où il dépense un peu de sa rage; ce n'est, du reste, que partie remise! Il a reconnu l'audacieux qui foulait ainsi la loi aux sabots de ses chevaux. C'est Titi! autrement dit, Tom Tildenn, le jeune spéculateur dont New-York parle depuis trois semaines, parce que, mieux que les autres, il a trouvé le secret de faire passer, sans être pincé, l'argent d'autrui dans ses poches. Gueux de capitalistes!

Or, tandis que le fils de Dublin exhale ses ressentiments ataviques, Tom s'est arrêté un peu plus loin, et c'est pourquoi on ne l'entend plus. Sur le trottoir d'asphalte, il a cru reconnaître une femme, une taille, un visage qu'il devinerait entre cent mille, rien qu'à écouter battre son cœur. C'est bien *elle*! Il soulève son chapeau, se penche en avant, et, avec son audace de yankee, risque la première carte, qui pourrait être la dernière.

—Mademoiselle d'Auray! Comme vous êtes matinale! Voulez-vous me permettre de vous enlever? C'est délicieux de fendre le brouillard, ce matin: on dirait un pays de rêve!

—Tom Tildenn, un rêveur! Ah! ah! par exemple!...

Elle sourit et elle hésite; lui, qui a peur d'un «non», reprend vite:

—Je ne dirai rien, pas un mot, et vous mènerez. Ne m'avez-vous pas déclaré, un jour, que vous possédiez le maniement des chevaux comme celui du télégraphe, que vous aviez le même doigté?...

—Tentateur! Oui, c'est moi qui menais mon grand-père, jadis, avant le déluge... Y a-t-il longtemps de cela!... Je vais essayer tout de même.

—À vos ordres, mademoiselle. Vous me ferez un plaisir...

—Chut! Oubliez-vous déjà votre promesse: «Je ne dirai rien». Comment s'appellent-ils, vos chevaux?

—Orloff et Rita.

—Hop! allons. Orloff! plus vite, Rita!... Là, ensemble, hop, hop! Ça y est. Soutenu à présent... *Hurry, hurry, hurry!*

D'abord surpris par la voix nouvelle, les deux trotteurs donnent un coup de mâchoire sur le mors, reconnaissent une main souple, un bras ferme, puis se jettent en avant de tous leurs nerfs surexcités: huit sabots martèlent le sol en une merveilleuse cadence, rythme vertigineux de pur sang à longue lignée d'ancêtres. Leurs narines dilatées boivent l'air qui frémit sur les rouges membranes, leurs crinières s'envolent, plus fauves que la chevelure d'Aélis, et, quand ils repassent devant Pat, si l'on disait au brave homme qu'ils vont quitter terre pour s'élancer à travers l'espace, eh bien! il le croirait, car, cette fois, ce doit être sainte Brigitte qui les mène, parole!...

Elle est finie, la course fantastique,—une course au paradis, oui, vraiment: pour Tom, parce qu'il était près d'elle; pour Aélis, parce qu'une enfance heureuse, évoquée devant ses yeux, lui faisait oublier pendant quelques minutes la ruine, la misère, les siècles d'angoisse... Ah! pour lutter contre tous, et même, aux plus mauvaises heures, contre elle-même, elle se sentait si seule dans ce grand New-York!... Cependant, au lieu de rêver, il fallait obéir, elle aussi, aux cloches de tout à l'heure; et par une si belle journée, la malédiction jetée sur Adam se faisait plus lourde qu'à l'ordinaire.

Aélis soupire, repasse les rênes à son compagnon; puis, un peu confuse, le remercie. Ce que voyant, il s'enhardit:

—Où faut-il vous reconduire? Pas encore à la Bourse!

—Si, j'ai à vérifier les derniers perfectionnements apportés aux appareils de Baudot, à six claviers. Je déjeunerai sur le pouce.

—Venez plutôt avec moi chez Delmonico. La jeune fille le regarde: aussitôt il s'excuse.

—Je vous demande pardon: je suis un sot. C'est la faute de vos yeux violets... D'ailleurs, vous êtes si peu comme nos Américaines!... Laissez-moi parler, de grâce; il y a dix mois que j'attends une pareille occasion, et je ne la perdrai pas, foi de Tildenn!... Vous rappelez-vous l'air solennel du vieux Frank quand il vous installa derrière le comptoir où vous manipulez le monde? Était-ce hier, était-ce il y a trois ans? Je vois encore l'arrêt de la cote... la première fois depuis un quart de siècle, m'a-t-on dit... ensuite la reprise, mais sans conviction, sans enthousiasme, avec une autre idée au fin fond du cerveau, l'idée de vous faire la cour, à la clôture... Bah! ils sont tous venus se faire brûler les ailes, et rien n'était plus beau que de voir la tranquillité avec laquelle vous les avez renvoyés à leurs télégrammes... Voilà pourquoi il y en a tant qui ne vous aiment pas, à présent, jusqu'à Frank Smith, je crois bien... Moi, je me suis tenu à l'écart.

—Oh! dit Aélis, avec un sourire.

—Il m'en a coûté, je vous le jure! Car je me disais: «Si un autre prend son cœur...»

—«...Il n'en restera plus pour moi»? Mais un cœur, depuis quand en ai-je un? Demandez à vos confrères.

—Inutile, je fais mes affaires tout seul. Je n'ai qu'à vous regarder en face, comme ça... Parfois il m'a semblé...

—Que?...

—Que vous accepteriez une promenade avec moi, un beau matin!

Les deux jeunes gens rient franchement; puis Aélis reprend, d'une voix tranquille:

—Monsieur, vous êtes un fat; ce sont vos chevaux seuls qui m'ont fait dire oui.

—Vraiment? Je m'en doutais un peu... Eh bien, dans quatre heures, à la corbeille, je joue tout ou rien. Si je réussis—et je réussirai, je le pressens!—j'achète les trotteurs de Vanderbilt. Qui sait s'ils ne me seront pas une mascotte auprès de celle qui sait comprendre mon silence?

Une petite main se pose sur son bras.

—Et votre promesse? Vous l'oubliez de nouveau... Rentrons par le faubourg, voulez-vous? Ce sera un de ces contrastes qu'il faudrait toujours s'imposer aux heures ensoleillées de la vie.

Tildenn se lance dans la cité ouvrière, où déjà bourdonne une vie intense; par les hautes cheminées d'usine, le feu s'échappe en étincelles. Presque toutes, elles brillent une seconde à peine avant de disparaître; quelquefois, pourtant, elles montent, montent encore, et la jeune fille en remarque deux qui jouent ensemble, descendent, remontent, s'unissent enfin et meurent.

«Deux âmes, un seul amour! se dit-elle pensivement. Et moi, qu'est-ce qu'ils veulent de moi, tous ces hommes, le vieux Frank, Edgar, Bloch, Belden ou même Tom? est-ce l'âme? est-ce le corps?»

Alors, elle considère la taille athlétique de son compagnon, cet air jeune et décidé qui semble lui assurer la victoire partout où il porte ses pas, cette croyance naturelle en sa force qui est bien un des plus sûrs garants de la réussite. Certes, il ferait bon s'appuyer sur un tel bras, et la vie passerait doucement à côté de celui-là s'il vous épousait pour autre chose qu'un visage régulier ou qu'une jolie tournure.

Les voilà dans la quatrième Avenue. La vue d'une femme soûle qu'emmène une sœur de l'Armée du Salut change le cours des réflexions de la jeune fille. Tom a ri, et elle s'indigne:

—Pourquoi riez-vous? Moi aussi, je me suis d'abord moquée des troupes de Booth; plus tard, j'ai oublié leurs bizarreries, disons même, si vous y tenez, leurs folies, car j'ai reconnu, voyez-vous, une foi sur leurs fronts; et ces gens-là font du bien, plus de bien qu'on ne le croit d'habitude. Les égouts où nul apôtre ne s'aventure en Amérique, ils y descendent, eux; elles s'y hasardent, elles: voyez plutôt ce qu'elle y a repêché ce matin!

—Ce n'est pas la sœur qui m'amuse, c'est l'autre. Elle est drôle au possible.

—L'ivrognesse? C'est une de ces damnées qui travaillent en bas pour le plaisir de ceux d'en haut: elle a voulu s'oublier, une heure ou une nuit. Leur tâche de bête au manège, j'en connais l'éternité, j'en sais les désespoirs, moi!

Tom eut un mouvement de surprise: ces amères paroles détonnaient entre les lèvres de sa déesse.

—Mais nous travaillons autant que ces gens-là, souvent davantage!

—Mais vous réussissez! Mais vous êtes vaillants, vous êtes forts, et le succès ou l'espoir du succès double votre énergie!... Dieu ne nous a pas tous créés bêtes féroces. Pensez-vous quelquefois aux faibles, à ceux qu'a brisés la bagarre, et qui n'ont même plus le courage d'invoquer nos saints du nouveau monde,—un milliardaire, cent archi-millionnaires, six mille richards à sept chiffres!... Leur vie d'épreuves et de triomphe, à ces victorieux, nous la savons beaucoup mieux que notre catéchisme; le culte que nous leur vouons passe celui des martyrs... et nous en oublions l'enfer que crée ici-bas la connaissance des réussites impossibles, et surtout, surtout, le moderne sentiment des jouissances inaccessibles... L'autre damnation, celle des prêtres, n'est-ce pas la connaissance et la privation de Dieu?

Elle est si jolie, dans sa frémissante conviction, que Tildenn ne pense plus du tout à ses chevaux, et voilà qu'ils font demi-tour. Quand il s'en aperçoit, il presse leur évolution, les enlève au trot vers l'Armée du Salut et, jetant d'une main leste un aigle d'or:

—Pour la dégriser avec une soupe chaude! crie-t-il.

Puis il repart aussi vite qu'il est venu; très émue, Aélis se tourne vers lui:

—Ah! la belle réponse à mes tirades! Merci! grâce à vous, cette matinée comptera parmi mes meilleures. Je ne l'oublierai pas.

—Moi non plus! dit Tom, très vite, en bredouillant. Vous n'êtes pas une yankee, vous. Votre âme est latine, trop compliquée pour nous autres, Saxons ou Teutons. Mais vous êtes... vous êtes adorable quand même. Ça y est. Ne vous fâchez pas. Il fallait que je vous le dise.

—Si j'avais la figure couturée de petite vérole, me tiendriez-vous les mêmes discours?

Le jeune homme hésite, regarde le beau visage anxieux penché vers lui, agite son fouet en l'air, où il décrit des hiéroglyphes:

—Cette hypothèse est inadmissible.

—Quatre mots pour un faux-fuyant. C'est indigne d'un gentleman. Allons, répondez, vous, qui êtes la franchise en personne!

—Au nom du ciel, mademoiselle, il ne faut pas trop demander à un homme!

—Ah! je le savais, je l'avais deviné. Vous êtes tous les mêmes. Comme si l'âme qui ne se ride pas, elle, l'esprit qui ne vieillit pas, lui, n'étaient pas plus nécessaires au bonheur que leur misérable gaine!... À quoi bon récriminer, au surplus? Il faut croire que vous avez tous été créés ainsi. Voici la 57e rue. Je vais descendre pour prendre l'*elevated*.

—Vous me quittez déjà? Je vous en prie, faites-moi une aumône!

—Vous aussi, vous mendiez? Quelle est votre excuse?... Bah! ce sera pour l'amour de vos trotteurs... Vous disiez donc que vous aviez cru remarquer dans mes yeux... quoi?

Tom Tildenn se remit à bégayer stupidement:

—Je n'ose le dire.

—Comment le devinerais-je, alors? Je ne suis pas sorcière, et le télégraphe m'attend. Au revoir, monsieur.

«Je l'aurai! Je l'aurai, par Jupiter! cria Tom en brûlant le ciment de la Cinquième Avenue. Quelle drôle de petite romaine, avec ses idées mystiques, neurasthéniques, et le diable sait quoi encore!... Jolie, avec ça, à damner les trois cent mille saints de son calendrier!... Et je l'aurai, ce koh-i-noor-là, oui-moi, Titi. «Entends-tu, Orloff?»

Orloff entendait tout et parlait peu. C'était un philosophe du nord. Comme il aimait son maître, il envoya sa droite à hauteur de sa gourmette, releva la tête et frappa le sol en hennissant.

—Si tu avais voulu, il y a cinq minutes! si tu avais su...

III

LE «VENDREDI NOIR»

La machine humaine est bien délicate et fragile; mais ces grands jours de la corbeille où l'on vit trois mille six cents heures en une seule, de onze heures à midi, en plein choc de «taureaux» à la hausse et d'«ours» à la baisse, ces jours inoubliables galvanisent des mourants, centuplent l'énergie des vivants et feraient même ressusciter les morts, si le diable ne réservait à ceux-là le plus raffiné des supplices, celui de suivre la cote sans prendre part au jeu.

Ah! certes, ils durent cliqueter singulièrement, les squelettes des feus rois de la Bourse, en ce jour de septembre où la puissance qui, jadis, leur donna l'empire du monde, l'or, monta de 143½, cours de l'ouverture, à 150 cours de onze heures et, en deux ou trois soubresauts électriques, jeta New-York, jeta le monde dans la même frénésie que jadis Israël aux pieds de l'idole.

—Six points et demi en une heure, dix-neuf depuis la reprise d'août!... Où allons-nous? cria Titi, qui avait envie de réaliser.

Le sang monta à ses tempes, l'allégresse de ses yeux encore jeunes disaient de quel côté il se trouvait. Sa voix, d'ailleurs, se perdit dans le brouhaha de la foule avec un rugissement de Bloch:

—200? Ça montera à 200!... Je parie cinquante mille dollars que ça touchera 200! Qui tient ce pari, messieurs?

On ne regarda même pas le chèque brandi en l'air. Vraiment, c'était bien la peine de parler d'une misère de deux cent cinquante mille francs, quand cet enragé de William Belden, se ruant, tête baissée, à droite et à gauche, achetait, à chaque coup, un million de dollars, vous entendez bien, cinq millions de francs! Derrière lui, deux secrétaires pointaient et répétaient à voix haute ses transactions épileptiques «Un... deux... trois... six!...» Les «ours» se regardèrent indécis!.... Sept! huit millions! Et William n'avait pas même changé sa chique de côté? Jusqu'où irait-il? Qu'est-ce qu'il pouvait bien avoir appris avant les autres?

La formidable phalange des baissiers, que hérissaient douze cent cinquante millions à découvert, se mit à osciller comme une muraille avant un tremblement de terre; la fièvre serra les gorges sèches, les yeux s'agrandirent, tout près de la folie, la congestion spéciale à la Bourse gagnait les têtes les plus solides. On murmurait — qui donc? oh! tout le monde et personne:

— Il n'y a que cent millions d'or sur le marché; le gouvernement en a quatre cents dans les caves du Trésor, mais il paraît qu'ils le tiennent...

Même, un petit homme noir, qu'on ne vit plus une fois qu'on lui eut sauté dessus, cria:

— La clique a garanti dix pour cent de ses profits au cousin de la présidente!

— C'est faux! Tenez bon! ils vont sauter. Le gouvernement va vendre son or!

— Allons donc! les acheteurs exigent la liquidation.

— Refusez; tenez ferme! est-ce que les reports sont faits pour les chiens? Je parie...

Ce que voulait parier le chef des baissiers, on ne le sut jamais, parce que Belden et sa clique disparurent, furent remplacés par Edgar, la tête du syndicat, le numéro un, et qu'alignée derrière lui la dernière charge des «taureaux» s'avança avant qu'on eût le temps de respirer trois fois. Il commença par acheter vingt millions de dollars; ses troupes appelèrent les options qu'elles possédaient, près de cinq cents millions de francs. On leur rit au nez: seulement, les bouches se tordaient d'une façon bizarre en découvrant les dents, et ils le remarquèrent. Edgar acheta six autres millions, fit monter le prix jusqu'à 159; plusieurs baissiers commencèrent à liquider, et il redoubla de sa voix de gong sonnant la déroute et le triomphe:

— 160 pour un million? Qui me vend un million à 160?

Pour la première fois de cette inoubliable journée, il se fit quelques secondes d'un silence tel qu'on entendit parfaitement la respiration de cette bête monstrueuse, qui règne sur les nations civilisées, la Bourse. Puis, il y eut une bousculade au pied de la petite tribune où se tenaient deux employés à visage impassible, quoiqu'en réalité leurs nerfs fussent tendus comme des cordes d'arc. Le premier poussa une clef, la grande aiguille de l'indicateur oscilla un peu, descendit sur 158, commença à remonter; le second frappa un rappel sur son Morse, et les trois chiffres prestigieux, 160, apparurent à Chicago juste au moment où l'aiguille de New-York les indiquait sur le cadran.

—Allons, messieurs, donnez-moi un million à 160! qui veut me le vendre?

Personne ne répondit. L'heure était venue où chacun, à son insu, laisse tomber son masque, grimaces d'enfants mal élevés ou corrects, mais toujours hypocrites. En doutez-vous? Regardez leur roi Bloch: pour reprendre haleine, il est sorti de la mêlée; adossé au comptoir d'Aélis, il écoute une voix plus forte que les hurlements de ses troupes, car elle chante l'or arraché aujourd'hui par brassées: c'est elle qui, malgré ses efforts, fait battre son cœur trop vite, reçoit et lance à torrents le sang qui brûle les veines et les artères, les dessine enfin en ce hideux réseau sur son visage de bête à l'image de Dieu. Et, tandis qu'il prête l'oreille, un des relais du comptoir se met à épeler au passage un télégramme de Washington: d'instinct, Bloch le déchiffre, au bruit, sans que personne s'en doute, pas même Aélis, attentive, elle aussi, à son poste. La dépêche, d'ailleurs, n'est pas destinée à la Bourse: elle ne fait que la traverser sur ses fils et passer plus loin, comme des milliers d'autres chaque jour.

Mais il était écrit que cet heureux homme l'attraperait au passage. Elle arrêta net dans ses veines ce sang de spéculateur si enfiévré tout à l'heure. Car elle disait:

Secrétaire du Trésor, Washington, à sous-secrétaire du Trésor, New-York. —*Mettez en vente vingt millions d'or du gouvernement.*

—Dites donc, Bloch, quel feu d'artifice! crie Tom Tildenn, très excité. Ça va merveilleusement! J'ai gagné mon million! Je le rejoue: il m'en faut trois autres à la clôture!... 160½! Bravo! 160¾!... *Go ahead, boys!*

L'artillerie des fins de bataille tire partout à la fois, autour de la corbeille, aux quatre coins de la salle, sous le péristyle et jusque dans les rues voisines, où se masse maintenant New-York. Le relais télégraphique s'est tu. Bloch se redresse, un peu pâle:

—Parbleu! c'est ce que j'ai toujours prédit. Nous clôturerons à 170, vous verrez, par Jupiter!

Il s'éloigne rapidement, appelle son secrétaire, l'envoie à Belden, fonce lui-même sur Edgar, les poings en avant, puisque le salut de la conspiration dépend tout entier de sa hâte. Il arrive enfin à ses côtés, lui passe les mains autour du cou, pour ne rien laisser échapper des nouveaux ordres d'achat qu'il lui donne — sans doute — dans le tuyau de l'oreille... et c'est fait.

C'est fait. Pendant ce temps, Tom, qui vient de crayonner ses dernières dépêches, retourne acheter ce qu'on offre dans la corbeille. L'aiguille à 160¾ lui fait oublier Aélis. Ah! s'il la regardait une fois! Deux yeux de femme qui aime ou qui a pitié le suivent, le rappellent, lui crient, mieux que la bouche frémissante qui voudrait parler, qui ne peut pas:

«Par grâce! ne faites rien: restez avec moi!»

Mais, grisé qu'il est par le souffle de la Bête, il ne comprend pas, il n'entend plus, il s'en va droit à son destin. Aélis se lève, fait un geste, ouvre les lèvres:

—Tom! Vous allez...

Tout à coup, entre elle et lui, se dresse son serment du premier jour...

«...*Sur le Christ qui scelle cette bible, je jure une discrétion pleine, entière, absolue...*»

Et la jeune fille retombe assise, le front dans ses mains, muette comme celles qui vont mourir.

Tildenn, d'abord surpris, croit à une méprise, rentre dans le tourbillon, se met à la tête des «taureaux», achète à n'importe quel prix, pour enfoncer les derniers carrés de Waterloo et faire en un mot, comme il l'a chanté, trois petits à son million.

À une heure et demie, une rumeur étrange s'insinue dans la salle, arrive jusqu'à la corbeille, en est victorieusement repoussée, mais pour y revenir à travers toutes les bouches, cette fois, comme à travers tous les cerveaux, et s'afficher enfin sous la forme du télégramme officiel que Bloch avait lu, en esprit, avant le destinataire:

Mettez en vente vingt millions d'or du gouvernement.

— Le Trésor commence à vendre!... Le Trésor vend son or!

Comme trois autres mots, deux mille quatre cents ans auparavant, ces quelques lettres détraquèrent les intelligences, affolèrent les volontés, firent comprendre aux plus obstinés que c'était bien la fin. Dix mille furies se déchaînèrent dans le parvis du tabernacle où croulait l'idole: les hommes se tordirent sous leurs fouets, ils crièrent devant la ruine, pire que la mort; leurs traits se convulsèrent à en expirer d'effroi si les Euménides leur eussent alors présenté des miroirs, car, sauf les contorsions de la strychnine, il n'y a rien au monde de plus effrayant que les convulsions du jeu. Et ce fut dans un ouragan de liquidation, parmi les râles de gosiers dont on eût dit la trachée-artère ouverte, la vie s'enfuyant à gros bouillons, ce fut dans un effondrement subit de trombe que s'acheva la journée de l'amoureux d'Aélis. De 161 l'or retomba, en, fermeture, à 135, sur un chaos de ruines ou de faillites, et les générations à venir parleront du «Vendredi noir» tant qu'il y aura sous le ciel d'Amérique une Bourse pour les batailles des «ours» et des «taureaux».

Seul maintenant, sous le péristyle, Tom Tildenn regardait sans bouger la foule courir par les avenues étincelantes.

Fini, c'était fini. Millionnaire à midi et mendiant à trois heures: drôle de situation... Plus un dollar, saisissez-vous?... Une lutte si dure, un tel effort de muscles, ainsi que jadis, à l'Université, pour le câble disputé pouce à pouce par deux équipes rivales. Et puis, quoi? Après? un coup de tonnerre et un krach: la panique, la défaite; ruiné et battu à plate couture, voilà tout... Est-ce qu'il avait encore des os dans le corps, une cervelle dans le crâne, ou bien de la gélatine partout?... et qui faisait si mal!... Qu'est-ce que ce tintamarre là-bas? L'*elevated* sonnant l'airain ou la Bourse tintant l'or? Irait-il en prendre un peu? Sans doute; mais il n'avait plus rien dans le corps, rien qu'un malaise indéfinissable, une envie de se dissoudre en quelque chose de mou qui ne sentirait plus, qui rentrerait sous terre... «Ah! Dieu, pourquoi me frapper ainsi?»

Ses nerfs le forcèrent à crier: une décharge électrique, bien sûr, ou une douleur fulgurante, l'ataxie... Non, ce n'était qu'une main de femme sur son épaule. Il se retourna, reçut en plein visage l'éclair de deux yeux violets tout près des larmes, baissa la tête et fit un effort pour se ressaisir. C'était Aélis.

—Monsieur Tildenn! Je vous ai cherché partout! Pourquoi vous êtes-vous sauvé si vite?... Est-ce si grave que cela? Vous me faites peur.

—Rien du tout, mademoiselle: c'est bête... un léger éblouissement... sans doute, votre soudaine apparition...

Il crut sourire, et la jeune fille eût plutôt voulu le voir pleurer. Elle lui prit les mains.

—Au nom du ciel! ce n'est pas le moment de plaisanter. Dites-moi où vous en êtes. On dit à la corbeille que vous avez perdu. Mais vous vous relèverez, n'est-ce pas?

—Oui, sans doute. Oui.

—Êtes... êtes-vous ruiné?

Tom éclata de rire, et Aélis se cacha le visage.

—Ruiné! mieux que ça; dix ruines, vingt ruines, de quoi travailler trois vies d'hommes avant de régler mon passif!

—Dieu, Dieu qui nous vois! Je l'ai pressenti quand vous êtes venu parler à Bloch!

—Vous étiez là? Oh! pardon, c'est vrai, je me le rappelle. Ce n'est que plus tard que je vous ai perdue de vue.

—Je m'en suis aperçue, allez! J'aurais donné le monde pour que vous pussiez lire ma pensée à ce moment-là: vous aviez réalisé, n'est-il pas vrai?

—Pourquoi? Est-ce que vous saviez quelque chose?

—Mais oui! L'ordre du Trésor a sonné au relais, sous mon comptoir, dix minutes au moins avant l'affichage du télégramme: *Mettez en vente...*

—Je sais, je sais, ne le redites pas... Je souffre, j'ai la tête vide et pleine, elle a envie de se fendre. Serrez-moi les mains. Bien... Vous parliez du télégramme. *Great Scott!* Bloch était là. A-t-il sonné devant lui?

—Derrière son dos. Qu'est-ce que cela fait?

—Ça fait qu'il a réalisé à temps, lui qui lit le *duplex* comme la cote! ça fait qu'il a vendu quand il nous conseillait d'acheter!... Ça fait qu'il nous a tous mis dedans, moi le premier, et que vous, vous l'avez aidé!

—Monsieur!

Aélis retira ses mains. Tildenn continua de divaguer:

—C'est comme ça, ma petite... Ça fait mal, allez!... Êtes-vous contente? Vous aussi, vous étiez contre moi. Ruiné... bah!... Un mot, un seul mot, et elle me sauvait!

—Est-ce que je pouvais le dire, ce mot? Ah! que vous êtes dur!...

—Dur? Non, je me sens mou, tout mou!... Elle n'a pas voulu parler, elle n'a pas même tendu la main à celui qui se noyait devant elle, Aélis, vous savez, la jolie fille...

—Monsieur! monsieur Tildenn! Calmez-vous! Savez-vous ce que vous dites?

—Oui, je le sais. Vous m'avez trahi, mademoiselle.

—Et mon serment?

—Votre serment?... Un serment, allons donc! Qu'est-ce que c'est que ça à côté de la vie d'un homme?... Moi, surtout, à qui vous aviez souri ce matin, moi qui, avec ce mot de vous, aurais pu gagner cinq, dix, quinze millions comme Belden, comme Edgar, comme Bloch!... Laissez-moi seul, miss d'Auray.

—Vous êtes injuste, vous êtes égoïste, vous êtes cruel, Tom Tildenn, mais vous êtes si malheureux que je ne vous abandonnerai pas à présent. Je ne pouvais pas oublier mon serment pour vous; je peux oublier ma fierté de femme. Voulez-vous m'accompagner jusqu'à ma porte? C'est loin, la promenade au grand air vous remettra, et, puisque ce matin, nous roulions en phaéton, eh bien! n'est-il pas juste que, ce soir, nous allions à pied?

Madame Pat' O'Hara, blanchisseuse de gros et de fin, dans la 109e rue, avait toujours un fer à la main et un œil sur la porte de son vis-à-vis, «une créature de vingt ans, disait-elle, qui s'en croyait et se faisait appeler *miss*parce qu'elle travaillait au marché des gros bonnets, en bas de la ville». Malgré la pommade, les cheveux rouges de la bonne femme se dressèrent droit en l'air quand elle vit un homme embrassant la petite d'Auray sur le seuil de son logis.

—En pleine rue, oui, ma chère, c'est comme ça! Je l'ai vue de mes yeux comme je vous vois là. Et à bouche que veux-tu!... Si encore elle avait eu la respectabilité de se cacher... Je l'ai dit souvent, hein? ces créatures finissent nécessairement par mal tourner... Une goutte, ma chère?... À votre bonne santé!

C'est ainsi que la Pitié donna à Tom Tildenn, ruiné, ce que l'Amour n'avait pu obtenir, au matin de sa richesse. Le «vendredi noir» lui prit une fortune et lui donna une fiancée. La 109e rue en fut scandalisée affreusement.

IV

PAT' O'HARA

Deux hommes valent mieux qu'un; trois est chiffre qu'il faut respecter en lui-même, sans discuter; mais, au delà de ce nombre, une agrégation de cerveaux humains ne vaut pas le jugement d'un âne, et cela depuis la tour de Babel. Pour l'oublier, ou mieux, pour protester, les peuples tendent de plus en plus à la forme de gouvernement parlementaire et les individus ne manquent jamais de se réunir quand ils sont las de se croire des êtres raisonnables. C'est pourquoi ils furent huit *policemen*, sanglés dans leurs redingotes bleu sombre, qui s'en vinrent frapper, quelques jours plus tard, à la porte du ménage O'Hara. Celui qui marchait en tête de la colonne, un sergent, halait, au bout d'une corde, un roquet jaune dont la fureur eut tôt fait d'ameuter le quartier. Par derrière, les sept subordonnés encourageaient la pauvre bête à avancer, du bout de leurs bottes, et, de temps à autre, ils se retournaient, sourcils froncés, vers les gamins qui surgissaient partout du sol, comme des maringouins avant un orage. Enfin, la petite troupe arriva au n° 203½ et, sans parlementer, fit irruption dans le logis du camarade:

—Sainte mère de Dieu! cria madame O'Hara. Et qu'est-ce que vous voulez faire avec cette bête jaune chez des gens qui se respectent, monsieur le sergent?

—La petite charogne! elle vient de me mordre le doigt! fit le sergent exaspéré. Faites excuse, madame, mais j'aimerais mieux emmener Pat lui-même au poste! Au nom du ciel où, bien sûr, vous irez un jour, prenez-la, madame, car c'est pour votre mari. Nous venions en *surprise-party*: ce bâtard que voilà s'est mis à faire autant de bruit que les trois cornets à piston de la fanfare! Mais c'est un vrai chien du Labrador, et on dit qu'ils valent leur pesant d'or en Alaska. Prenez-le, pour l'amour de la police de New-York!

—Vrai, vous êtes tous ben honnêtes, messieurs, et, quand Pat rentrera, i'va jurer d'émotion tout plein, sûr!... Il est allé queri du butin, mais i'sera bientôt de retour. Asseyez-vous, en attendant, où vous pourrez, sur les corbeilles de linge, à la ronde... On n'est pas riche, mais on sait recevoir des amis, de bons amis comme vous...

Tenez, escuzez-moi, mais i' faut que je pleure... Dites-moi, sergent, qu'est-ce qu'i va faire là-bas, mon homme?

Le sergent se retourna vers son escouade sans y trouver la moindre inspiration; alors il allongea deux coups de pied au chien jaune, qui se mit à hurler en regardant madame O'Hara. Elle se pencha vers lui:

—Oui, qu'est-ce qu'i fera là-bas, sans moi? Cette idée de gagner une contrée barbare ousqu'il n'y a point de *policemen*! Est-ce toi qui me remplaceras, dis, Caton?

Et ce roquet de mauvais caractère, que pas une caresse ou pas un juron n'avait pu émouvoir tout à l'heure, cette bête jaune se dressa contre la bonne femme, et, voyant beaucoup d'angoisse sur sa figure de vieille, aboya doucement:

—Oui, madame, je vous le promets! Ouah, ouah!...

—C'est un miracle, s'écria le sergent. Ah! les femmes, elles en savent plus long que les autres créatures! Madame a trouvé du premier coup un nom qu'il aime!

—Les chiens du Labrador parlent le français,—dit modestement Brigitte O'Hara,—et je l'ai appelé du nom d'un savant de Paris, aux anciens temps, par devant leur révolution. Tiens! voilà Pat! Escuzez-moi, je reviens dans la minute.

Elle courut réquisitionner chez l'épicier la goutte avec des cigares, des plus gros et des plus forts, et aussi, pour servir et tenir le crachoir, trois ou quatre jupons du voisinage. Pendant que s'organisait ainsi cet impromptu, qui fit époque dans le quartier, Pat venait de déposer, au milieu de ses amis très intrigués, un paquet de hardes.

—Que diable est-ce que c'est que ça, Pat? demanda le sergent. Serait-ce le butin que vous apportâtes sur le dos, il y a vingt et un ans, en débarquant des vieux pays? Vous rappelez-vous?... Quelle mauvaise mine vous aviez à cette époque!

—Je ne sais pas ce que vous voulez dire,—répondit Pat, très important.—Ce colis renferme mon costume de mineur!... Attendez, je vais le passer derrière votre dos, et vous verrez s'il ne me va pas mieux que l'uniforme!

—L'habit ne fait pas le moine! hasarda timidement une des dernières recrues du sergent.

—Au diable les niaiseries d'Europe! Est-ce qu'il ne fait pas le *policeman*?... Voilà: comment me trouvez-vous?

Le poing sur la hanche, la poitrine en avant, comme au jour de Saint-Patrick, il était si beau que Brigitte s'arrêta sur le seuil avec ses amies:

—V'là mon homme! Pour un homme, c'en est un!

Lui ne l'entendait plus. Il oubliait même le cruchon qu'elle serrait tendrement dans ses bras. Son habit de laine, strié de mille et une bigarurres d'arc-en-ciel en déliquescence, l'hypnotisait autant que ses admirateurs, et se serait mis à en compter les coutures si Caton eût gardé le silence. Mais ce bout de chien n'avait du chacal que la ressemblance physique: il avait le courage de ses opinions, et il aboya franchement son aversion pour de tels oripeaux. Il fallut expliquer au futur prospecteur le cadeau de ses camarades, l'intelligence qu'il cachait derrière ses mauvais yeux, la sauvegarde enfin qu'il serait pour lui là-bas: et O'Hara prouva immédiatement sa reconnaissance en distribuant à la ronde des bols de wisky. Puis, pour la trente-deuxième fois en cinq jours, il recommença son histoire, avec orgueil, avec modestie, en y ajoutant une douzaine de fioritures à l'eau-de-vie. Et, plus heureux que des rois de la Bourse, buvant, fumant, crachant, les huit *policemen* l'écoutèrent dans une véritable piété.

—C'est comme je vous le dis! Y a pas de mon mérite, mais fallait encore être décidé comme je le suis. C'est survenu le jour que je me présentai chez mosieu Tom Tildenn.

—Titi? interrogea l'étourneau qui avait déjà parlé une fois de trop.

—Son Honneur Tildenn, mon nouveau chef! corrigea sévèrement O'Hara. Il faudra vous défaire de vos familiarités, mon fils! Ça vous nuirait dans le Corps!... À doncques, il était ruiné, comme je l'ai su après, par une de ces machinations de damnés capitalistes, qui sucent du sang d'homme ici comme en Irlande...

Le sergent était de Belfast: il approuva d'une rasade.

—Bien dit, Pat! À votre santé!

—Et moi qui l'ignorais, j'étais allé le voir, histoire d'entendre ce qu'il dirait parce que je ne l'avais pas stoppé au parc le jour qu'il y galopait, à preuve que...

—Du souffle, O'Hara, reprenez du souffle! dit le sergent. Vous me coupez le mien, à parler si vite... D'ailleurs, ces explications ne regardent point votre supérieur... Belles dames, à votre santé!

—Dieu vous le rende, monsieur le sergent! firent Brigitte et ses amies, le verre aux lèvres.

L'une d'elles alla chercher un second cruchon, et le narrateur reprit:

—«Môssieu O'Hara, me dit-il (c'est un vrai *gentleman*), je n'ai plus un sol! Vous êtes plus riche que moi! Hormis l'existence, il ne me reste plus rien. «Saints du saint paradis, ayez merci de nous!» criai-je, car jamais humain ne fut plus étonné que moi ce jour-là; «j'en suis bien marri pour vous, monsieur Tildenn, vous me pardonnerez d'être venu. Mon nom est O'Hara, de la 109e rue, et prêt à saisir ceux qui vous ont dépouillé, pour vous servir!»

—Mon mari est né avec un porte-voix dans la bouche, dit madame O'Hara. Rien ne l'embarrasse pour s'esprimer comme un ministre.

«—Y a pas d'offense, me répond-il en riant, continua Pat-Chrysostôme; pauvre je suis, riche je redeviendrai: pour ça, je m'en vas en Alaska.» Mes gars, je vous le dis, un feu d'artifice partit dans ma tête à ce nom-là, et mon bon ange me souffla en même temps une pensée...

—Ton bon ange? Ton mauvais diable, mon homme! c'est moi, ta femme légitime, qui te le déclare. Oh! Pat, Pat! comment as-tu pu!...

—Paix, femme! tu parleras après moi. C'est pour ton bien. Toujours qu'une voix, ange ou diable, me coule à l'oreille: «Patrick O'Hara! va avec lui! tu feras fortune!» Justement, lui qui n'avait rien ouï, comme de raison, me disait:

»—*Policeman*, quand je reviendrai, je vous promets de me rappeler votre gracieuseté du parc. Je n'oublie jamais un service.

»—Que saint Patrick, mon patron, bénisse Votre Excellence! Moi itou, je veux ramasser de l'or. Prenez-moi avec vous!

»Il me regarda de côté, et je crus être devant notre docteur, quand on se fait porter malade, histoire de ne pas se surmener; puis il dit:

» —Patrick, vous êtes solide, il n'y a pas à dire le contraire; mais pour aller là-haut, il faut être maigre et pas marié.

» —Merluche je deviendrai assez vite, Votre Honneur, au régime des conserves, et, pour ce qui touche à ma moitié, elle restera domiciliée à New-York, comme par devant, jusqu'à ce que...

—Je ne veux pas, Pat: c'est toi, toi que je veux! larmoya Brigitte.

—Allons, allons, la vieille, passe-moi le cruchon au lieu de m'interrompre. Pas celui-là: le sergent l'a vidé... Sans reproche, hein?... Merci. Et je te rapporterai des richesses et des falbalas pour t'en aller sur la Cinquième Avenue, et nous aurons à dîner, ce jour-là, toute la police de New-York.

—Bravo! Vive O'Hara d'Alaska! crièrent ses amis enthousiasmés.

Le wisky commençait à râcler les gorges, que cicatrisait la fumée des havanes; la conversation devint bruyante autour de la carte des glaciers aurifères, devant le petit sac de peau de daim où l'ex-*policeman* mettrait les pépites glanées chaque jour. On admira le mercure qui, paraît-il, soutire l'or là où il y en a, comme un *pick-pocket* dans la veste d'autrui; et le sergent offrit de recommander le futur mineur à un sien cousin qui balayait une banque de quatre à six: ça lui servirait à se faire ouvrir un compte pour ses dépôts d'Alaska. Seulement la jeune recrue proposa une autre banque, et, comme Dieu a créé de toute éternité les Irlandais pour se casser mutuellement la tête, la *surprise-party* du sergent et de ses sept hommes se termina par une bagarre telle que jamais Caton n'en revit une pareille au cours de ses fantastiques aventures vers le pôle Nord.

Quant à son maître, il avait depuis longtemps roulé dans un coin, et souriait à la voix mystérieuse, diable ou ange, qui lui scandait cette phrase avec le balancier de l'horloge:

«Va avec lui! Tu feras fortune!»

Pour le réveiller, il fallut, le lendemain, à la première heure, le seau d'eau et le balai de Brigitte, plus cette désagréable apostrophe:

—Brute! oh! brute d'homme! est-ce que tu pourras mieux te soûler quand tu l'auras enfin, ta fortune maudite?

Une scène bien différente s'était passée la veille au couvent des Ursulines de la 132e rue, où, du temps de son grand-père, Aélis avait obtenu la couronne d'honneur de sa division. Elle sonna au tour, par derrière lequel on voyait sans être vu, et dit:

-Ma sœur, voulez-vous me passer la clef du troisième parloir des religieuses? Je suis Aélis d'Auray et je voudrais causer avec la mère Saint-Joseph.

Sans répondre un mot, la tourière lui envoya ce qu'elle demandait, et la jeune fille s'en alla, par les appartements déserts, jusqu'à la double grille du dernier parloir. Elle s'assit tout contre, s'y accrocha même, pour retrouver le passé, la jeunesse insouciante et pure, les prières et les jeux; tout ce qui se levait dans l'ombre du cloître l'y accueillait, malgré cette barrière, et lui criait de mille voix aimantes: «Aélis! Ô Aélis, revenez-nous!» Elle n'entendit pas la porte intérieure s'ouvrir, des pas glisser dans le parloir comme ceux d'une morte; elle ne se réveilla qu'au doux appel de mère Saint-Joseph: «Bonjour, ma petite fille!» et lorsqu'à travers le réseau opposé elle put saisir le doigt de la bonne religieuse.

—Ma mère!... mère Saint-Joseph!... que je suis heureuse de vous revoir!

—Pas plus que moi, Aélis. Vous nous aviez un peu négligées, ces temps derniers.

—C'est vrai... mais, en retour, j'ai une grande nouvelle à vous annoncer.

—Ah! je sais, je devine!... Eh bien, vous êtes faite pour le monde...

—Est-ce qu'on peut rien vous cacher, mère? ou bien, êtes-vous sorcière?... Oui, vous ne vous trompez pas, je vais me marier, ou plutôt je me suis fiancée!

La religieuse contempla ce pur ovale qu'elle trouvait — était-ce un péché? — plus beau que celui de la Vierge, dans la chapelle:

—Est-il bon, au moins, votre jeune homme, Aélis? Est-ce un fervent catholique?

—Il est né de parents catholiques, et c'est une des raisons qui m'a décidée. Mais il est aussi indifférent que tolérant, je crois, en matière spirituelle.

—Il faudra le ramener à la foi vive, mon enfant. Ce sera votre mission, puisque Dieu vous a indiqué la voie du mariage pour y faire votre salut... et le sien.

La jeune fille ne répondit rien; elle soupira. Mère Saint-Joseph, qui n'avait pas besoin de paroles pour lire les âmes de ses élèves, reprit doucement:

—Est-ce que cela vous effraie?

—Oh! mère, non! Je pensais à autre chose.

—À quoi? Vous ne me cachiez rien, jadis!

Une rosée d'aurore monta au radieux visage; Aélis baissa les yeux et dit:

—C'est *demain* qui me fait peur.

—Mais enfin, vous le connaissez, ce jeune homme, mon enfant... Vous savez ce qu'il vaut... Toute jeune fille a des terreurs au moment de faire le grand pas... Est-ce que vous avez pensé à la vie religieuse?

—Mère, oui, quelquefois... Je ne puis... je ne peux pas me faire à l'idée du mariage.

Cette fois, ce fut au tour de mère Saint-Joseph à garder le silence; très rouge, elle resta longtemps la tête appuyée contre la grille. Puis elle murmura, de cette voix qui faisait qu'on pouvait l'aimer sans la voir:

—Pauvre, pauvre petite Aélis! C'est la même pensée qui amène derrière ces grilles beaucoup d'entre nous... Il vous faudra surmonter cela, si vous l'aimez véritablement.

—Je l'aime, ma mère, puisque je me suis fiancée. Mais je suis tourmentée...

—Il ne faut pas l'être: il faut prier. J'ai toujours cru que vous étiez née pour le monde. Vous y pourrez faire beaucoup de bien. Nous prierons toutes Dieu pour vous. D'ailleurs, vous ne vous mariez pas demain, n'est-ce pas?

—Ah! non, par exemple!... Nous attendrons peut-être longtemps, car le vendredi noir a ruiné M. Tildenn, et il faut qu'il regagne de quoi vivre.

Mère Saint-Joseph n'avait pas entendu parler du «vendredi noir». Était-ce possible?... Aélis le narra dans tous ses détails, tellement que quatre heures survinrent à l'improviste. Il fallut se séparer: deux doigts fuselés se touchèrent encore à travers les grilles, deux âmes s'effleurèrent pour se donner le baiser de paix; et puis mère Saint-Joseph, de son pas de morte, retourna à l'éternité; et Aélis d'Auray, plus calme et plus forte, s'en revint à la vie du dehors, au tourbillon de New-York.

V

FORTY MILE, 20 AOÛT 1896

Il y avait déjà quelque temps que les dogues malamutes s'étaient couchés en rond, le nez sous la queue, pour ne pas geler, et leurs ronflements, sonnaient maintenant la retraite à travers le Forty Mile, la misérable bourgade de chercheurs d'or perdus en Alaska. Mais, comme le soleil arctique ne se couche guère, lui, avant onze heures durant les mois d'été, la plupart des mineurs, assis au seuil de leurs isbas, fumaient en silence; à peine de temps à autre, une exclamation ou quelque juron.

Trop d'hivers s'étaient gravés sur leurs faces en rides de chair contractée par le froid, la lutte pour la chaleur et la vie avait été trop longue, trop dure, sous les cieux bas de ce pays, pour ne pas transformer tous ces hommes à quelque nationalité qu'ils appartinssent, et ne pas les jeter dans l'engourdissement du grand nord. Afin de le secouer, à défaut d'autre flamme, plusieurs échangeaient leurs pépites contre le wisky poivré d'Oppenheim, l'unique mastroquet du campement; et, plus animés, le verre en main, ils se racontaient leurs rêves, leurs déceptions et leurs misères, mais aussi, mais surtout, la réussite de *demain...*

«Demain», c'était le mot magique, le mot qui faisait flamber leurs cerveaux mieux que l'alcool à quarante-six degrés; «demain», c'était la sortie du Yukon, à pleines voiles vers le sud, c'était l'arrivée triomphante à San Francisco, par un soleil à fondre leurs monceaux d'or... Viendrait-il jamais? Il y avait des têtes blanches qui l'attendaient ainsi depuis dix-huit ans, bientôt un quart de siècle, à gratter la glace, à courir aux quatre points cardinaux sans trouver le dieu caché.

Un peu plus loin que la baraque d'Oppenheim, il y avait une cabane couverte de terre où se mourait un de ceux-là. Ses hurlements de bête qui agonise, mais qui voudrait ne pas finir tout de suite, sortaient par la lucarne sans vitres, s'élevaient péniblement dans l'air pesant du soir, aussi réguliers que les tenaillements du scorbut qui décomposait ses chairs:

— *Oh! my God!... God, my God!... oh! oh! oh!...*

Du reste, il n'empêchait plus personne de dormir, depuis six mois qu'il pourrissait ainsi, pas même la dernière venue au Forty Mile, une fille dont les yeux noirs et l'air canaille avaient tout de suite hypnotisé les mineurs.

Pour mieux les attirer, elle chantait ce soir:

> *Voyez par-ci, voyez par-là!*
> *Que dites-vous...*

Et pendant cette gaieté, cette agonie et cette ivresse, le fleuve roi du Nord roulait toujours ses eaux noires sur ce toit du monde que forme la Sibérie d'Amérique: goutte à goutte, les mousses pleuraient la glace de leurs forêts en miniature sur un sol qui ne dégèle jamais; de petits ruisselets s'y formaient, couraient en serpentant aux flancs des collines, s'en allaient vite au Yukon, vers le brouillard polaire, où, quelque part, il y a l'immensité de Behring.

Tout à coup, un canot qui descendait le fleuve émergea de la brume, et vint accoster en face du cabaret. Deux hommes en sortirent: un Indien Tagish, qui l'amarra tant bien que mal à une racine, — puis s'accroupit de nouveau et resta là immobile, à voir passer l'eau, — et un mineur en haillons, qui courut au bar. Ceux qui s'y tenaient accoudés le considérèrent très surpris de sa hâte:

— *Hello*, Cormack! que diable avez-vous à vous presser ainsi?

— Henry! cria sans leur répondre Cormack à Oppenheim, — Henry! donnez-moi une bouteille de réveille-cadavre!... du meilleur!... le cachet vert!

Le mastroquet leva la main droite et, d'un air goguenard, il écarta cinq doigts:

— C'est cinq dollars, mon fils. Oui, cinq...

— Que le scorbut vous étouffe, papa! riposta l'autre. Vous croyez que je ne peux pas régler? *Bosh!* tenez, payez-vous et, vite, envoyez le wisky!

Il avait lancé sur le comptoir une cartouche calibre 12 que fermait un bouchon de bois. Oppenheim l'ouvrit, la retourna méthodiquement sur le plateau d'une balance: elle ne contenait pas plus de vingt dollars, mais en pépites si grosses que les buveurs se penchèrent pour mieux voir.

—D'où ça vient-il? Ça ne sort pas du Forty Mile! murmura une voix.

Cormack avait déjà avalé le quart de sa bouteille, sans respirer; il s'arrêta une seconde, et aussitôt les paroles commencèrent à lui monter à la gorge en hoquets de triomphe:

Cet or vient de ma mine! cria-t-il. Ma mine, à moi, Georges Cormack!... Ah! je vous le jure, mes *boys*, j'ai fini d'en manger, de la misère, depuis les temps que je peine pire qu'un dogue d'Esquimau... J'ai frappé avant-hier la veine, oui, une bonne, et je suis riche, riche, riche!...

Il but encore un coup, sortit en chancelant, s'en alla par les allées, buvant toujours, criant plus fort:

—J'ai trouvé l'El Dorado du monde, moi, Cormack le gueux!... Ohé, les amis. Il y a vingt ans que je le cherche, mais je l'ai, à la fin des fins!... À votre santé!... Eh! houp là!

À chaque seuil, à la porte de la fille comme à celle du scorbutique, qui en oubliait son agonie, des visages étonnés ou incrédules apparaissaient maintenant, et, l'oreille tendue aux vociférations de l'ivrogne, échangeaient quelques mots à demi-voix:

—C'est Cormack, qui a épousé une Indienne Tagish, une Siwash!

—Oui, un menteur... comme toute sa tribu de meurt-de-faim!

—Pourtant, il a de l'or, et du plus gros que celui d'ici! Henry l'a pesé.

—Est-il Dieu possible? Il a dû le voler!

—Je vous dis qu'on en jamais vu de pareil.

—Riche! je suis riche, riche, riche! hurla de nouveau Cormack.

Il tremblait trop pour achever la bouteille, dont le goulot, manquant sa bouche laissait tomber le wisky dans son cou.

Cependant il continua à avancer tant bien que mal, en trébuchant à chaque pas. Et le vent qui, tous les soirs, dix mois sur douze, remonte le fleuve pour souffler le froid et la mort, le vent du pôle ramassa, emporta en un confus mélange les cris du millionnaire, les gémissements du mourant, les chants de la prostituée: tout le long du Yukon ce fut une clameur lointaine, un bruit d'échos de plus en plus faible, — hou! hou! hou-ou! — peut-être les génies du fleuve qui riaient de la découverte du Klondike. — Toujours accroupi, l'Indien écoutait et avait peur.

Un groupe maintenant suivait Cormack. Il fallait absolument lui faire dire où il avait déterré ses vingt dollars. Mais, au lieu de répondre, il buvait, ou plutôt, cherchait à boire, jusqu'à ce qu'il fût arrivé à la tanière où il roula ivre-mort. Fort désappointés, les curieux furent obligés de l'y laisser cuver les drogues d'Oppenheim. Et, haussant les épaules, ils s'en retournaient.

—Est-ce qu'il se figure, ce Siwash, qu'il va nous faire courir les marécages avec des contes de soûlard? C'est de l'or de quelque arrivant de Californie... Il se moque de nous!

Tout était rentré dans le silence, au Forty Mile, quand survint un vieux trappeur canadien, Boucher, auquel on avait raconté la chose. Lui seul, peut-être, avec son camarade Juneau, pouvait obtenir la vérité du chasseur d'or. Cependant, lorsqu'il le vit à terre, il hocha la tête:

—Il en a pour vingt-quatre heures!... Quel malheur qu'on ne puisse rien apprendre avant les autres!... L'Indien, là-bas, ne sait rien ou ne veut rien dire.

—J'ai un restant d'ammoniaque dans ma cabane, fit Juneau.

—Vrai? Par Jupiter, vous êtes un génie! aidez-moi à mettre Georges sur ses fourrures, et courez ensuite chercher le flacon... Moi qui n'y pensais pas!... Ça va lui faire éternuer la vérité!

Dans un coin obscur, sans bouger, la *squaw* de Cormack guettait les amis de son mari: elle a raconté plus tard aux siens que la petite fiole du chasseur blanc contenait un esprit très puissant, puisqu'une fois entré dans le nez de Georgie, *Hi-ya!* il le fit sauter comme un saumon au bout d'un harpon! «*Ik-ta mika tum-tum?*»

—Au secours! cria Cormack entre deux éternuements. On m'empoi... Tiens, c'est vous, Boucher? Atchi! Holà!

—Oui, mon vieux... Juneau et moi, nous venons de vous sauver la vie. Ce n'est pas moi, c'est Oppenheim qui vous avait empoisonné. Mais vous voilà mieux.

La conversation fut coupée court par une nouvelle crise: décidément la médication était par trop énergique. Enfin, Georges reprit la parole, en pleurant de grosses larmes:

—Vous avez raison. Jamais je n'irai plus chez lui. J'achèterai un bar pour moi tout seul, et, dedans, j'y mettrai tout ce qu'il y a de meilleur, tout ce qui coûte le plus cher... Je suis riche.

—Sûr?

—Regardez!

Il montra sa fameuse cartouche. Boucher en examina une à une les pépites, les soupesa, les lécha même, pour mieux se rendre compte.

—L'or du ruisseau Napoléon ressemble à des graines de concombre, dit-il enfin; celui du Miller est rouillé, il a mauvaise mine; l'or du Glacier a la forme de cœurs. Celui-ci semble cassé d'hier. Comme il est gros! Cormack, mon vieux...

Il regarda autour de lui: la porte était fermée, et, dans la cabane, avec eux il n'y avait que Juneau et madame Cormack. Il reprit donc:

—Mon vieux camarade, où as-tu trouvé cet or? Donne-nous une chance avant les autres...

—Oui, je te le dirai, Boucher, parce que toi, et Juneau, vous êtes les seuls qui ne vous soyez pas ri de moi quand j'ai épousé ma Siwash... Et je l'aime mieux qu'une blanche, allez!... Écoute... Écoutez tous les deux...

Trois têtes se touchèrent dans l'ombre, échangèrent quelques mots à voix basse. Enfin, Boucher se releva:

—Bien sûr?... Tu ne voudrais pas te moquer de moi, dis, Cormack? Je commence à être vieux pour courir, et je suis si pauvre!...

—Pauvre!—cria l'ivrogne avec une exaltation extraordinaire,—tu dis: pauvre!... Tu peux être comme Mackay après-demain, sûr comme l'or que tu vois là... Seulement, dépêchez-vous, partez, filez, ramez dur! D'autres pourraient trouver la place... Moi, je vais dormir.

Juneau et Boucher se levèrent sans ajouter un mot. Comme ils ouvraient la porte, Cormack les rappela.

—Sûr comme cet or-là... Y a-t-il une corde sous mon lit? Oui? Eh bien, si je vous trompe, revenez me pendre avec... je me laisserai faire!

Un petit groupe attendait au dehors; on interrogea les deux amis: ils répondirent que pour le moment il n'y avait moyen de rien apprendre, que Cormack avait fait «la fête» et que, par conséquent, il fallait prendre patience bon gré mal gré. Puis, ils rentrèrent dans leur cabane, la verrouillèrent, sortirent à la dérobée par derrière, et s'en furent droit à leur canot sur les bords du fleuve.

—Boucher, fit Juneau, va chercher des provisions pour dix jours; moi, j'irai quérir le jeune Mac Donald. Il nous faut de l'aide pour remonter le courant; autant lui qu'un autre; quand il veut, il a des bras solides... et je parie que, d'ici à deux heures, Cormack aura parlé de nouveau. Allons, vite!

Ils se pressèrent tellement, les deux vieux, que vingt minutes plus tard leur petite embarcation disparaissait en amont; pas assez vite, pourtant, pour qu'Oppenheim ne les aperçût tandis qu'il fermait sa porte en bâillant une dernière fois. Debout, à l'arrière, Juneau guidait l'embarcation au moyen de sa gaffe, tandis que Mac Donald, à l'avant, courbé sur la sienne, avançait à force de «rétablissements». Au milieu, Boucher reprenait haleine en attendant son tour. Et, quarante-huit heures durant, avec à peine deux heures de sommeil et quelques haltes pour manger, les trois voyageurs se remorquèrent ainsi, tantôt à la gaffe, tantôt à la corde, jusqu'à ce qu'ils fussent arrivés en face des huttes indiennes du Thron-diuck, —«la rivière aux poissons».—Alors, Boucher se leva et, montrant du doigt les eaux transparentes de ce quasi torrent:

—C'est là, dit-il.

Pour mieux voir, les autres se mirent à genoux. Un souffle froid sortit des montagnes, passa sur le marécage où devait surgir Dawson City trois mois plus tard, et s'en vint les faire grelotter sous leur sueur. Juneau dit:

—Brrr! abordons, voulez-vous? Ça sent la mort par ici: une tasse de café nous ravigotera.

—Certes, oui, et aussi un peu de sommeil, puisque nous voilà arrivés. Quel métier de cheval depuis deux jours! Cette corde m'a scié l'épaule en deux... Et tout ça, peut-être, pour faire rire Cormack. Bah!

Mac Donald, qui parlait ainsi, avait une volonté d'enfant dans un corps d'homme. Du moins, c'est ce que pensa Boucher, qui se redressa de toute la hauteur de ses soixante et onze ans sonnés.

—Jeune homme, fit-il, vous pouvez vous arrêter, si le cœur vous manque. Moi, j'irai jusqu'au bout avec Juneau... Hein, vieux?... Oui, j'irai, quand même je devrais user mes jambes jusqu'aux genoux!... Pour une fois, Cormack n'a pas menti, je le sens, je le devine, et, ce soir même, je planterai mes piquets à côté des siens.

Vraiment, sans le savoir, il était magnifique ainsi parlant, le trappeur canadien, sa longue barbe de prophète ruisselant d'eau et de sueur, ses bras tendus vers le Thron-diuck, tout son vieux corps de fer raidi pour un suprême effort. Près, très près, derrière ces montagnes noires, l'or était là, l'or des jaunes pépites crachées en masse par les volcans des temps inconnus; il les voyait, il les sentait, il les respirait, ah Dieu! et, par sa bouche édentée, elles criaient maintenant aux indécis de la première heure: «Venez! venez donc! nous sommes les maîtresses du monde, et vous n'aurez qu'à vous baisser pour nous avoir!» Et voilà que, pour les saisir, cinquante ans d'énergie jetée à la vie sauvage des bois revenaient au vieillard, le secouaient d'une fougue pareille à celle de sa jeunesse, le relevaient une dernière fois pour vaincre ou pour mourir.

Le petit Écossais baissa la tête; ses yeux gris, un peu doux, évitèrent ceux de Boucher. Il saisit un aviron et se prépara à traverser le Yukon, dont le courant, à cet endroit, est si violent. Juneau, qui avait approuvé son camarade, regarda en aval et poussa un cri de surprise:

—Holà! qu'est-ce qui vient par là-bas?

C'était un canot de trente pieds de long sur quatre de large, qui, à force de pagaies, coupait le fleuve mieux qu'un poisson au printemps. Huit hommes s'y trouvaient, et parmi eux, au premier rang, Henry Oppenheim.

—Dépêchons! Ils nous ont suivi!... Vous l'ai-je assez répété qu'il ne fallait pas perdre une seconde!... Nous aurons du mal à arriver les premiers.

Boucher s'excitait de plus en plus, tandis que ses compagnons ramaient à faire éclater chacun de leurs muscles.

—Hardi, les gars! Forty Mile s'est vidé derrière eux, je parie... mais nous arrivons... nous y sommes... un coup à droite, Juneau... oh!

Le canot venait d'entrer dans les eaux à crêtes blanches du Klondike: elles bouillonnèrent autour en le bousculant, ainsi qu'une chose morte. Juneau donna un coup à faux, la frêle embarcation vira brusquement, reçut un paquet d'écume et, presque aussitôt, se renversa sur les mineurs. Par derrière, sur le grand canot de guerre qui avait su éviter ce dangereux remous, il y eut un éclat de rire: après tout, Henry et ses hommes arrivaient les premiers... Ou plutôt en même temps... Car, comme ils touchaient terre, on vit émerger un peu plus loin la tête blanche de Boucher. Les lèvres au ras de l'eau, il nageait à la façon des anguilles, avec de petits crachements, juste de quoi ne pas trop avaler d'eau à la glace... On lui tendit les mains, il se hissa sur la rive, où il avala une rasade de wisky, et, sans plus tarder, on se mit en route. Le vieillard se secoua et regarda la rive opposée que ses camarades avaient réussi à gagner. Pour traverser, il leur faudrait attendre maintenant un canot indien. Il arrondit ses mains en porte-voix:

—Je pars, cria-t-il. Vous me suivrez quand vous pourrez. Bonne chance!

Alors, commença vraiment son calvaire. Les hommes d'Oppenheim étaient plus jeunes, moins fatigués: ils trottaient à travers les cailloux, la mousse, les marécages sans s'arrêter, droit sur l'est, tantôt par les coulées d'orignal ou d'ours, au fond des vallées étroites, tantôt suivant le faîte dégarni des montagnes. Au flanc d'une colline, Boucher glissa jusqu'à un petit glacier où il se releva noir de boue dégelée: il lui fallut courir pour rejoindre la petite troupe qui ne regardait même plus en arrière, mais qui marchait, marchait toujours, laissant parfois échapper une parole.

—Je prendrai le 3.—Non!... c'est le beau-frère de Cormack, Tagish Charlie.—Alors le 4!—Moi, j'attendrai d'avoir vu le bas et le haut de la découverte. — Allons, qui est-ce qui nous retarde, en avant? — Hue donc!...

Le thermomètre, s'ils en avaient eu un, aurait marqué 35° après une nuit de gel. La sueur descendait en filets le long de leurs corps maigres et nerveux, entrait dans leurs yeux où son sel les brûlait mieux que la réverbération du soleil sur la glace. Ils allaient toujours, écrasant les crocus, les anémones, les touffes de roses sauvages, toutes les fleurettes sans parfum de l'extrême nord. Derrière eux, comme après un vent d'orage, les hautes mousses se relevaient sur le sol gelé; un caribou bondit presque sous leurs pieds, puis, surpris, les regarda courir; une corneille croassa deux fois; des pies, qui les suivaient en caquetant de branche en branche, se jetèrent sur elle, la chassèrent à coups de bec et d'ongles. Eux ne voyaient rien, n'entendaient plus; ils venaient de déboucher sur une montagne en dos d'âne que l'on a nommée plus tard Gold Hill — le Mont d'Or — et Oppenheim, s'arrêtant pour reprendre haleine, tendit le bras vers le nord.

— C'est en bas... à un mille... sur le ruisseau qui vient du sud.

C'était une large vallée, remplie d'épinettes noires, de bouleaux gris d'argent, de peupliers dont les feuilles frémissaient entre la fraîcheur de l'eau qui courait en dessous et la chaleur du soleil à son zénith. Plus haut s'étageaient les dômes, ces monstrueuses croupes arrondies par les glaciers préhistoriques, d'où sortait une gigantesque pieuvre de ruisseaux aurifères; et, bien loin, par derrière, la merveilleuse sculpture blanche des Montagnes Rocheuses, semblait se balancer dans le ciel. Immobile, Boucher eut un éblouissement: un feu d'artifice éclata dans ses prunelles dilatées, l'inonda de lumière, puis disparut soudain et le laissa dans d'horribles ténèbres. Il tomba à genoux, se releva, appela ou crut appeler:

— Juneau! oh! Juneau, venez...

Il retomba, et, avant qu'on eût pu l'approcher, roula le long de la pente abrupte jusque dans le petit ruisseau qui, descendant de l'ouest, lui, allait se jeter dans celui de Cormack.

Oppenheim et sa bande eurent beaucoup de peine à descendre par la même trace; une fois en bas, ils firent le cercle autour du corps.

—Il est fini, le vieux! il faudra revenir l'enterrer quand nous aurons marqué nos *claims*...

—Mais il respire encore!... Tiens! regardez ce qu'il a dans la main... C'est un avis de prise de possession, tout prêt, à l'encre. Ah! le vieux malin!

—Donnez-le-moi,—dit un nommé Whipple. Je vais l'attacher sur cet arbre au-dessus de lui. Ce sera son terrain, au *Frenchy*. Personne qui en veuille?

—Vous vous moquez de nous? Ce ruisseau n'est qu'une pâture à orignal. Il doit y avoir autant d'or que dans vos poches, Whipple, et c'est pourquoi nous lui donnerons votre nom. Adjugée, la découverte de Whipple Creek, à Jean Crapaud, de son nom Baptiste Boucher, mort ou vivant!

On rit beaucoup de la saillie d'Oppenheim. Les cœurs se faisaient légers, si proches du but. Whipple haussa les épaules et jeta un mouchoir sur le visage du «crapaud français».

—Ça m'est égal, vous savez... Il est probablement plus heureux que nous, à cette heure!... Allons, filons!

Déjà ils étaient loin. Sous l'écriteau: «Je réclame cinq cents pieds de gisements aurifères le long de ce cours d'eau... etc.,» Jean-Baptiste Boucher dormait bien, ce 22 août 1896. Sa vieille figure, salie de sang et de boue figés à travers d'innombrables rides, disparaissait sous un nuage de maringouins: jusque entre la vie et la mort, ils lui chantaient l'éternelle chanson d'Alaska; très haut, planant au milieu des nuages, un grand oiseau se demandait ce que pouvait bien être cette chose inerte en bas des montagnes.

Et c'était pour cet écroulement au seuil de la terre promise que, trois quarts de siècle auparavant, en l'église Saint-Jacques-de-Batiscan, non loin de Québec, le carillon venu de France avait célébré l'arrivée d'un chrétien de plus en Canada.

VI

St-MICHAEL, 27 JUIN 1897

Or, en ces temps reculés qui sont d'hier, comme la Sibérie, sa sœur jumelle du détroit de Behring, l'Alaska n'était qu'une prison de glace: chaque été, elle ouvrait ses portes pour recevoir un certain nombre de désespérés; deux ou trois navires, arrivant de Californie, les déposaient à St-Michaël, à l'entrée du Yukon, où de petits transports à roues, d'un faible tirant, venaient les prendre pour remonter à l'intérieur des terres, et les semer çà et là dans les campements du cercle arctique, Fort Yukon, Circle City ou Forty Mile.

Là, l'immensité sur leurs têtes comme sous leurs pieds, ils s'en allaient au hasard des montagnes de glace, des vallées profondes que réveillent pour quatre mois le soleil, et ils en fouillaient le sol, afin de ne pas mourir de faim: — car ils y trouvaient de l'or, juste de quoi acheter les provisions apportées de deux mille lieues et plus, pas assez pour s'en retourner. Mais ils avaient l'espérance, que n'ont pas les forçats du tsar; ils *savaient* qu'un jour viendrait où leur pic frapperait enfin les trésors rêvés. Oui, ils le savaient comme on sait qu'un Dieu existe quelque part autour de nous: et cette pensée unique, — toute leur âme, toute leur vie, — cette patience et cette foi leur faisaient braver la plus misérable existence du monde jusqu'à l'heure où le froid, quelque soir, au bord d'une coulée de glace, venait calmer leurs cervelles malades, et les endormir du sommeil qui guérit si bien les plus mauvaises fièvres.

La grande ville de l'or et des jolies femmes, San-Francisco, qui n'oublie pas son passé, parlait souvent de ce mystérieux nord au seuil duquel, en 1880, un Canadien, Joseph Juneau, avait trouvé du quartz aurifère. Son*claim*, vendu deux mille francs, était devenu cette fameuse Treadwell où des centaines de pilons, sans jamais s'arrêter, sauf à Noël, dévorent, toutes les vingt-quatre heures, quinze cents tonnes de pierre. Et les touristes qui passaient par là, l'été, emportaient dans la tête la monstrueuse plainte de la silice frappée, broyée, jetée enfin en poussière parce qu'elle est riche. Elle les poursuivait au cours de leur tranquille croisière, le long des fjords de la côte, elle leur redisait sans trêve, à eux, dont les pères avaient découvert les trésors de la Californie: «Qu'y a-t-il derrière ces montagnes où a disparu Juneau? On ne l'a plus revu... et les Indiens parlent de rivières pavées de lourds cailloux jaunes, et de volcans qui vomissent du *com-juk*, un minerai qui doit être de l'or ou du cuivre...»

En 1897, les mêmes anciennes rumeurs affluèrent avec une vigueur nouvelle,—sans que rien, d'ailleurs, parût les justifier.—Lorsque Tom Tildenn s'embarqua, un matin, avec Patrick O'Hara, sur l'*Excelsior*, de la *Pacific Coast Steamship Co*, Fred Sims, le Californien qui lui avait conseillé d'aller tenter fortune au Yukon, lui cria en guise d'adieu:

—Bonne chance!... Revenez-nous milliardaire avec toutes vos dents!... C'est du nord, à présent, que nous viennent les dollars!

L'ex-*policeman* lui coupa la parole; debout, à côté de son maître, ou plutôt de son camarade, il lançait en l'air son feutre, rugissant à chaque fois:

—*Yoho!* les *boys*! En avant vers la fortune! Eh! houp là!

Les *boys*, qui mâchaient leur chique sans rien dire, se prirent enfin à son bel enthousiasme. Ce gros garçon, si plein de santé et d'entrain, méritait assurément de réussir. Des mains se levèrent, il y eut des chapeaux et des foulards agités à bout de bras, puis une clameur:

—Bravo!... Trouvez la veine, mon fils!... Laissez-en un peu pour les autres!... *Yoho*, Frisco!

Et l'*Excelsior*, qu'un petit hercule de remorqueur avait tourné au nord-ouest, commença à frapper l'eau verte de son hélice pour s'en aller au pays des ours blancs et des icebergs. Une patte en l'air, ses yeux jaunes sur le néant, Caton humait la brise à l'avant du navire. Pat se retourna vers Tildenn, et demanda:

—Pourquoi le *gentleman* vous a-t-il souhaité de garder vos dents? Elles m'ont l'air d'être encore plus solides que les miennes.

Tom ne répondit pas: comme le chien, il regardait au nord, et, pour en déchirer le brouillard, il eût donné dix ans de belle santé saine et forte, même... même, peut-être, à côté d'Aélis! Cependant, c'était pour elle qu'il voulait la fortune,—cette fortune qu'elle lui avait fait perdre—du moins, il se le persuadait; et, durant les jours de *farniente* qui le bercèrent tranquillement au gré du Pacifique, ce fut cette pensée,—Aélis ou l'or, l'or ou Aélis, il ne savait trop, puisqu'il ne pouvait plus les séparer,—qui l'aida à supporter une terrible réaction morale.

Il était tombé de trop haut pour n'en pas rester longtemps assommé. Ainsi que beaucoup de ses compatriotes, dès le début de sa vie, il avait fait une telle dépense d'énergie qu'il ne lui en restait guère au moment où il en avait le plus grand besoin. L'excitation du prochain départ, la fièvre de sa grande résolution lui avaient fait oublier, ou plutôt l'avaient empêché de se rappeler le «vendredi noir», l'arrivée au haut de l'échelle, la dégringolade plus rapide encore. Quand il se retrouva seul avec lui-même, sur l'océan, au milieu d'une centaine d'aventuriers dont il se distinguait *encore* par les mains ou la tournure, quand il vit devant lui, en chair et en os, ce qu'il serait demain, il eut horreur de sa détermination. Qui donc pourrait lui ôter de derrière le front le souvenir des jours heureux? Est-ce que la vie serait endurable si le passé, si son passé revenait ainsi le faire saigner et crier en dedans? Il regarda fixement l'eau profonde: au soir du quarantième degré de latitude, elle se rayait de phosphorescences nacrées, où, fantastiques, dansaient les phoques, en route, eux aussi, vers la mer de Behring. Avaient-elles l'air assez heureuses de vivre, ces bêtes-là, devant lui, animal raisonnable, doué d'un corps et d'une... Bah! catéchisme de deux sous!

Un museau humide lui poussa la main: Caton venait demander une caresse. O'Hara, qui le suivait, acheva de rompre son rêve.

—Monsieur Tildenn?... Combien d'argent faut-il pour être heureux?

Tom eut un sursaut, puis se mit à rire:

—Ça dépend!,..

—De quoi?

—De la femme qu'on a.

Les deux hommes se turent, un moment; alors, Pat:

—Oh! la mienne, monsieur... La pauvre vieille se contente d'une bouchée de pain, quand elle m'a avec!...

Tom ne répondit rien, mais il se rappelait maintenant celle qui se promit à lui le jour de sa ruine; il se dit tout bas:

«Alors... qu'allons-nous faire en Alaska?...»

Huit jours après cette conversation, l'*Excelsior* traverse le cinquante-quatrième de latitude pour aborder à Unalaska. Ces gigantesques rochers noirs, où viennent pleurer tous les nuages du monde, sont les portails de l'Inconnu, de cette mer jadis russe, entre les deux Sibéries,—celle d'Europe, celle d'Amérique, toutes deux tombeaux d'hommes et tombeaux d'or.—Peu à peu, quand on les a franchis, les rivages du «Grand pays d'au-delà» sortent des flots, l'île de Nunivak apparaît ainsi qu'une tortue monstrueuse dormant sur l'eau, puis le bec du cap Romanzof, d'où se lancent, pour pêcher en caïack, les Esquimaux «Innuits». Enfin, voici un immense delta de plaines, ou plutôt, de marécages verts, déchirés par les eaux noires du roi des fleuves arctiques. C'est le Yukon, qui, l'hiver, gèle jusqu'à soixante pieds de profondeur. Le lendemain nos argonautes arrivent à St-Michaël, où l'*Alaska Commercial Company* et la *North American Company* ont établi leurs quartiers généraux. L'*Excelsior* jette l'ancre et attend le premier bateau qui descendra de l'intérieur à la suite des glaces.

Le 25 juin de cette année 1897, une véritable tempête chasse au sud les icebergs du détroit; les courtes lames dures de ces mers sans profondeur remontent l'embouchure du Yukon, saisissent le *Portus B. Wear*, qui est arrivé au milieu du delta, sont bien près de réussir à l'entraîner au large, où il aurait infailliblement sombré. Aussi, quand deux jours plus tard il arrive à St-Michaël, les marins de l'*Excelsior* ne sont pas trop étonnés des hourras qui éclatent en feux de file à son bord. Sans doute, ces braves gens célèbrent la vie, qui, une fois de plus, a triomphé de la mort sur cette traîtresse de Behring. Quelle peur ils ont dû avoir, pour crier ainsi, à présent qu'ils sont au port! Tenez, voyez! il y en a deux qui dansent sur le pont. On jurerait des ours sur un glaçon à la dérive! Vraiment, ils sont fous... Ils sont fous à lier... Quand leur coquille de noix rase le steamer, toutes les bouches de ses passagers sont ouvertes, toutes les langues de ces mineurs, qui avaient à peu près perdu l'usage de la parole dans leurs déserts, s'agitent et hurlent, tandis que les bras en l'air télégraphient des choses absolument incompréhensibles. Des chiens malamutes, les deux pattes sur le bord, le museau vertical, glapissent mieux que leurs maîtres, et, par moments, sur toute cette clameur, on entend passer un mot, trois syllabes étranges, toujours les mêmes: «Klonn-daï-ick!... Klonn-daï-ick!...»

Enfin, il se fait une accalmie relative; son porte-voix aux lèvres, le capitaine de l'*Excelsior* hèle ces démoniaques:

—Ohé! qu'est-ce qui se passe là-bas? Avez-vous le feu à bord?

On entend un éclat de rire qui sonne drôlement. Puis une sorte de figure humaine saute sur la poupe; ses vêtements en loques claquent au vent, mais sa voix—une rude voix, par Jupiter!—jette la réponse:

—Nous avons des millions! nous avons trouvé...

Ses camarades ne le laissent pas achever: on le tire en arrière. Il s'agrippe au premier venu; les voilà maintenant qui, enlacés, recommencent la valse de tout à l'heure, en scandant de plus belle ce rythme magique: «Klonn-daï-ick!... Klonn-daï-ick!...»

Sur la rive, réveillés par ce tapage, les Esquimaux sortent de leurs égouts: rangés en ligne d'athlètes à belle peau luisante d'huile de poisson, pères, mères, enfants, les yeux écarquillés sous leurs couronnes de cheveux à la dominicaine, ils regardent descendre les revenants pâles de l'intérieur.

—*Pilton!* murmurent-ils.

Ce qui veut dire en *chinook*,—le jargon franco-anglo-russe du nord-ouest:—«Ils ont perdu la raison.»

Les mineurs n'y prennent garde. Ce sont de vrais squelettes dont les longs cheveux, la barbe clairsemée déguisent mal l'horrible émaciation. À première vue, O'Hara en est vivement impressionné quand il vient prendre des nouvelles avec Tildenn. Rien que sur leur mine, la police les arrêterait tous, à New-York! Et quelles guenilles vermineuses!...

Soudain, l'une d'elles lui adresse la parole:

—Avez-vous un bout de tabac, vous?

—Certainement! Tenez... Et alors, vous avez trouvé un peu d'or?

—Un peu d'or?...

La guenille jure deux fois et ajoute:

—Avez-vous un million de dollars en poche?

—???

—Non? Eh bien, ça revient au même... car, si vous l'aviez, ce ne serait pas assez pour acheter mon *claim* du Bonanza... Et nous sommes deux cents à en avoir autant. Pas vrai, Williams?

—Parbleu! Il en reste même pour ceux qui n'arriveront pas trop tard... Seulement, il faut emporter des provisions, beaucoup de provisions. Il n'y a plus rien à manger passé Circle City... Y a-t-il des oignons sur l'*Excelsior*? Je donnerais cinq dollars pour un oignon cru.

—Vous dites?...

—Il a le scorbut, —fit la première guenille. —Les légumes frais vont le guérir... Voulez-vous venir voir mon or?

Pat le suit dans une cabine où, assis sur des bidons de pétrole, des boîtes de conserves même, des bouts de troncs d'arbres creux, trois hommes fument et jouent au poker. Des carabines sont en travers des couchettes, étagées à deux pieds et demi les unes des autres.

—Ohé! crie leur ami, en voilà un qui vient du dehors et ne veut pas croire sans voir.

Ils se levèrent ensemble et Pat vit de l'or partout dans ces récipients bizarres, dans les couvertures relevées et attachées aux quatre bouts, jusque sur le plancher, où le roulis l'avait fait déborder. Et chacune des soixante cabines du *Portus B. Weare* recélait les mêmes trésors en pépites fauves, et, à voir ce ruissellement inouï, l'ivresse, qui fait si vite courir le sang à travers le corps, l'ivresse des incroyables réussites vous montait à la tête, vous faisait crier bientôt comme les autres:

—Hourra! vive le Klondike! —L'endroit le plus riche du monde! —Les trésors de Saba! —Circle City n'a plus personne! —Plus que deux blancs au Forty Mile!... Hourra pour le Bonanza! — L'Eldorado est tout en or! — Vive Dawson City!

Oh! le chœur fantastique! Berry et sa mascotte Ethel, avec douze cent mille francs! Anderson, le va-nu-pieds de Frisco, avec quatre cent mille! Stanley, le désespéré de New-York, avec cinq cent cinquante mille! Clements, deux cent cinquante mille! Kulju, Cazelais, Picotte, Bergevin, Desrochers, tant d'autres, hier si pauvres, aujourd'hui si riches!... Oh! l'extatique tintement de leurs trésors, le suprême anéantissement de la chair, du sang, de l'âme, devant le roi du monde!

— Et, disaient-ils, nous n'avons fait que gratter nos claims, sur le dessus, grand comme nos chapeaux; d'ailleurs, les plus riches d'entre nous sont restés aux mines parce qu'ils sont aussi les plus ambitieux.

Pat O'Hara est plus ivre qu'il ne le fut jamais aux longues veillées de la 109e rue; et, comme il a grand cœur, il s'en va de cabine en cabine offrir son flacon de wisky aux revenants, jusqu'au n° 11, où il trouve un jeune garçon couché sur son or et qui lui répond: «Non», sans ouvrir ses yeux malades.

— Prenez, prenez, ça vous fera du bien! insiste Pat de sa bonne voix d'ivrogne. Qu'est-ce que vous avez?

— J'ai plus d'argent que je n'en dépenserai jamais!

— Mais alors...

— Laissez-moi tranquille, voulez-vous? Comme tout le monde, j'ai eu de la chance et de la malchance.

Ce disant, il lève un peu la tête; Pat aperçoit sa bouche: il n'y a plus que des trous et du sang noir à la place des dents. Il en recule d'horreur, et, du coup, le scorbut le dégrise. Il se rappelle le souhait de Fred Sims, au départ, commence à le comprendre, et met la main sur le loquet de la porte.

— Désirez-vous quelque chose?

— Avez-vous du chocolat?

— J'en ai dix livres dans ma cabine de l'*Excelsior*.

Le jeune homme entr'ouvre les paupières: une flamme revenue de très loin, comme dans un feu mort, en jaillit subitement.

—Courez me le chercher! Tenez...

Au hasard, il fouille sous sa couverture, y prend une poignée d'or, et tend au visiteur environ cent dollars. Pat les prend et se sauve, bouleversé. Il tombe au milieu d'une bande qui regarde se battre trois chiens,—deux malamutes, et, au bout de leurs crocs, Caton.

—Caton, ici! Arrière, chiens de sauvages!

—Tirez votre puce,—crie un mineur;—sûr, elle va se faire dévorer crue! Les dogues n'ont pas mangé depuis quatre jours.

On les sépare, et Caton sort à moitié mort de la bagarre. Son maître se retourne vers le groupe de millionnaires:

—Ah çà! est-ce qu'on meurt de faim là-haut, bêtes et gens? Quel diable de pays est-ce donc?

Il y a un silence; puis, une voix s'élève on ne sait d'où:

—Vous l'avez dit: c'est un sacré pays! Voilà ce que c'est.

Sous ces yeux qui brûlent, devant ces visages ravagés par l'anémie et la famine, ces bouches saignantes qui s'ouvrent malgré elles pour manger, l'Irlandais a un frisson d'homme gras. Il prend son chien sous le bras, court à la cabine du *boy*, lui rend son or en disant très vite, sans le regarder:

—Reprenez les pépites; je garde mon chocolat. Charité bien ordonnée commence par...

Mais il n'achève pas, car il éprouve une grande honte; et, pour la secouer, il s'en va raconter à bord de l'*Excelsior* l'inimaginable découverte du Klondike. Seulement, à travers le flux inutile de ses paroles, il y a une terreur dont il ne parle pas et qui saute derrière chaque pensée, comme ces monstres qui talonnent les enfants dans leurs cauchemars, qui se rapprochent et qui vont les...

Tout à coup, elle le fait s'interrompre au milieu d'une phrase: venant de terre, quelque part dans cette pluie fine qui tombe trois cent soixante jours par an, à St-Michaël, un jappement s'est fait entendre... Tenez, encore: écoutez!... Là, derrière cette montagne de glace... quelque chose qui a faim, toujours faim, et qui crie, qui crie...

Les oreilles droites, clopin-clopant, Caton se relève, renifle la brise, prend son élan et se jette à la mer.

—Grand Dieu! il se suicide!... Caton, ici, Caton!... Jetez-lui une bouée de sauvetage!

L'ancien *policeman* se penche par-dessus bord, comme si, lui aussi, il voulait sauter à l'eau. On le retient; le chien jaune, du reste, sait admirablement nager: le voilà qui s'en va au rivage, le petit bout de son museau à chaque instant recouvert par les vagues. Une fois sur le sable, il se secoue, regarde l'*Excelsior* et semble hésiter.

—Caton! Caton!

Il va se remettre à l'eau pour revenir à son maître, quand le jappement lugubre sort une seconde fois du brouillard; et le roquet du Labrador, le porte-bonheur de Tildenn et d'O'Hara, y disparaît sur trois pattes... On n'entend plus que les gouttelettes de pluie dans le néant.

Pat s'en est allé se jeter sur son lit: il n'a plus envie de crier, de fumer ou de boire. Le front lui fait si mal!... Le scorbut, l'alcool, les millions, Caton perdu on ne sait où, le bout du monde et le désespoir d'un ciel si bas qu'on le touche de la tête entre les icebergs et les rochers de la côte, tout cela y sonne, y tourbillonne épouvantablement, avec, par-dessus tout ce branle-bas, le dernier cri d'une femme sensée:

—Brute! oh! brute d'homme! est-ce que tu pourras mieux te soûler quand tu l'auras enfin, ta fortune maudite!...

VII

ROBERT DE SAINT-OURS

On lui avait répété depuis l'âge de raison que la France était une très vieille nation à son déclin;—les Anglais disaient: *a decaying nation*, et les Français le répétaient.—Sans doute, elle avait eu un passé prestigieux, mais c'était un passé, propre aux siècles héroïques où d'autres nations plus jeunes, plus vigoureuses, n'avaient pas encore surgi du sol; quant au présent, quant au futur, s'il fallait absolument en parler, c'était pour convenir en famille qu'il serait celui de la Pologne. On avait bien poussé quelques rejetons çà et là, au cours de ces dernières années, à travers trois parties du monde; mais ils croîtraient pour d'autres, à l'instar du Canada, puisque la nation n'avait jamais su coloniser. Pour mieux l'en convaincre, enfin,—car, à vingt ans, les petits Français eux-mêmes ont encore de singulières illusions,—on lui avait énuméré, classé, étiqueté soigneusement tous les défauts de notre race, et, par là-dessus, en guise de méditation, il avait dû lire ces savants ouvrages qui furent traduits en dix langues,—et qu'il retrouva, plus tard jusque dans les ports des îles Aléoutiennes,—où la supériorité d'autrui est démontrée par A + B.

Or il arriva que cet homme ainsi formé, ce vieillard de vingt ans, Robert de Saint-Ours, eut une velléité d'indépendance: un beau jour, il déclara aux siens qu'il allait s'expatrier, non pas au compte de l'État, comme «fonctionnaire», ou bien encore pour «diriger» de grands intérêts «industriels», mais pour voler de ses propres ailes, lui, Saint-Ours, onzième du nom. La famille, éperdue, commença par le mitrailler de ces mille et un proverbes qui, depuis des générations, défendent aux-petits Français de franchir le bord du duvet domestique. Est-ce que pierre qui roule amasse de la mousse?... Tout vient à point à qui sait attendre? Ah! heureux,

Heureux qui vit chez soi, De régler *son avoir* faisant tout son emploi.

En outre, un oncle très majestueux lui parla d'une «Protection» qui pourrait lui faire obtenir une «place».—Une place, entends-tu! le rêve et l'ambition permis, puisque c'est le gîte et le souper assurés... Pour le reste, un sien cousin affirma qu'il finirait par lui trouver une «dot», de quoi être heureux comme papa et comme maman, trente ans de becquetage au nid... pourvu qu'il eût moins d'enfants, disons un ou deux au maximum, en vertu du savant Malthus!

Le croiriez-vous? Cet insensé ne voulut rien entendre. Pas même la circulaire ministérielle qui, redoutant l'esprit d'aventures, cria un jour à trente-six mille communes: «Méfiez-vous des fièvres d'or d'Amérique!... On vous parle du Klondike! Vous y laisserez vos os!»

Robert se dit que, mort pour mort, puisque tout en arrive là, il valait mieux, en attendant, vivre d'espérance, et non de résignation: son ancêtre, le premier de sa race, avait-il réfléchi, avait-il ruminé si longtemps avant d'entreprendre la fortune sur laquelle avaient vécu huit générations de ses descendants?

Si les temps avaient changé, le principal des moyens de réussite était resté le même: la volonté. Comme il croyait l'avoir, une heure vint où il boucla sa valise pour ces lointaines régions d'Alaska, et, brouillé avec tous les siens, quelques milliers de francs en poche, il s'en fut à la découverte des trésors d'Amérique.

Il connut donc l'affreuse angoisse de la mise en route vers l'inconnu. Il éprouva la suffocation de l'arrivée en terre étrangère, l'affolement de ceux qui se sentent perdus, loin de la patrie, à l'heure où s'en va le vaisseau qui les jeta négligemment à la côte. Afin de mieux l'écraser, ce misérable déchet de l'ancien continent, de gigantesques blocs de pierre escaladaient les cieux, où grimpaient, où descendaient des millions de fourmis affairées; sur sa tête glissaient nuit devant ses pas, et il marchait toujours seul dans un désert de trois millions d'hommes... Ah! qu'il eut donc froid au cœur, parmi les visages hostiles ou gouailleurs, l'indifférence de ces foules si actives, refusant de perdre dix secondes à interpréter son mauvais anglais du collège! Même, sitôt après son coup de tête, il regretta le ciel de France; il invoqua les gens sages qui lui avaient adressé leurs malédictions au départ, il se frappa la poitrine au souvenir des proverbes, sagesse des nations;—comme ils avaient raison!

Et puis, peu à peu, comme son jeune cœur lui criait, quatre-vingts fois par minute, qu'il ne voulait pas mourir, lui, mais faire du sang pour se battre et triompher, il releva la tête, il emplit ses poumons de l'air électrique du nouveau monde; et l'esprit nouveau vint en lui, mit en déroute l'archi-vieille civilisation qui momifie au berceau les petits des races fatiguées. Robert vit les palais blancs qu'élevait dans l'impériale cité de la république le fils d'un mendiant vomi par Berlin vingt ans auparavant; il fit le tour d'une université et d'un parc, don royal d'un ancien forgeron du sud de la France; le labyrinthe de fer de l'*Elevated*, c'était l'œuvre d'un seul homme, jadis décrotteur au coin de la sixième Avenue, et qui, de temps à autre, pour mieux se rendre compte du chemin parcouru, venait s'asseoir sur la boîte de son successeur. «Cirer, M'sieu?» hurlait le petit nègre; et «M'sieu» disait oui, pendant qu'il vérifiait, chronomètre en main, la fusée de ses aériens express... Et partout, à chaque artère de la ville monstrueuse, d'autres souvenirs, d'autres réussites se levaient devant Robert, lui prenaient la main pour l'aider à marcher en avant, toujours avant, en pleine lutte pour la vie. «Ce qu'ils firent, les gueux d'hier, pourquoi ne le ferais-tu pas, toi, le gueux d'aujourd'hui? Ici, toutes les chances sont égales pour tous!...»

Tout cela continua de chanter dans la tête du jeune homme, tandis qu'il traversait le continent, de New-York à San-Francisco, où il s'embarqua pour la Mecque du nord... Le Klondike! d'un bout de l'Amérique à l'autre, ce seul mot faisait alors bouillir les cervelles; une véritable armée montait à l'assaut des trésors dont le *Portus B. Weare*, neuf mois auparavant, avait apporté la palpable évidence. Ce fut donc avec des milliers d'autres hallucinés qu'il débarqua à Skaguay, le camp frontière qui, depuis un an déjà, montait la garde américaine au fond du canal de Lynn. Une vie intense circulait à pleins torrents dans ses veines; sans doute, elle justifiait à elle seule son entreprise d'outre-mer; il commençait à se sentir en condition.

C'était, d'ailleurs, cette exaltation qui seule permettait de survivre au chaos, à l'effroyable tohu-bohu de ces débarquements quotidiens d'arches de Noé par des marées de trente pieds de hauteur. Ajoutez les prétentions extraordinaires de M. Moore, le constructeur du quai unique traversé à chaque instant par un homme, un chien, un cheval, une vache ou un renne. Il avait inventé un tarif qu'un des compagnons de Robert de Saint-Ours, J.-H. Secretan, a immortalisé plus tard dans les souvenirs de son expédition. Ainsi, on payait:

	Dollars
Pour regarder le quai	1
Pour reprendre haleine sur le quai	1¾

Pour cracher sur le quai	2
Pour marcher sur le quai	2½
Pour parler à un homme qui dit connaître le quai	2¾
Pour mettre une valise sur le quai	3
Pour enlever la même et s'en aller du quai	4

Moore est devenu millionnaire: comme les autres, Robert de Saint-Ours laissa la moitié de sa bourse entre les grilles de ce bienfaiteur ingénieux. Puis, sans s'arrêter dans le village, il commença à escalader le fameux Chikoot, avec trente mille autres bêtes de somme à deux jambes, les reins cassés sous leurs provisions de dix mois. Ensuite, la brise des lacs l'aida à faire avancer son traîneau sur la glace déjà craquelée par le printemps, et, quand il eut franchi le fond de chaudière où bouillonnent les rapides du White Horse, il fut happé par la rivière des Quarante-huit kilomètres, au sortir du lac Laberge, et jeté, après une course furieuse, au confluent du Teslin. La plupart de ses compagnons étaient restés sur les lacs à attendre la débâcle finale. Lui se laissa emporter par le Yukon, qui commençait à déborder; et dix-huit jours après, un être sauvage, chevelu, barbu, presque aussi sale que les Indiens Tagish, entonnait un chant de triomphe en déchiffrant sur la rive droite du fleuve un écriteau:

Dawson City, deux milles. Prenez garde au courant!

Reine de l'or et de la glace, ce n'était qu'un misérable de plus, avant-coureur de la grande armée, qui venait s'échouer à vos rives. Et vous entendîtes alors le cri que vos échos, depuis, répétèrent tant et tant de fois:

—Enfin!... Nous y voilà!

Même, Robert ajouta:

—Maintenant, il n'y a plus qu'à se baisser...

Pourquoi faire? Il ne le dit pas. Car, avant de se mettre à l'œuvre, il voulut chasser le goût insupportable de graisse que lui avaient laissé au palais trois mois de conserves et de lard. Malgré sa peau neuve, il avait conservé son estomac de Touraine, une fureur perpétuelle de boire et de manger; il ouvrit sa bourse: deux aigles d'or—quarante dollars—brillaient au fond, de quoi faire un bon dîner au meilleur restaurant de Dawson et garder en outre une poire pour la soif. N'avait-il pas, au reste, ainsi que les autres, une année de subsistances dans sa barque? Il s'en fut donc droit à «l'Eldorado,» et s'attabla en frémissant d'aise; Christophe Colomb ne mangea certes pas de meilleur appétit, le 8 octobre 1492.

Il devait chèrement expier cette heure de paradis. L'ange au glaive flamboyant se présenta sous l'opulente forme d'Henry Oppenheim, gentleman au gilet blanc avec chaîne de pépites sur une carrure de Teuton d'Amérique.

—Quel est le dommage? dit Robert en argot de vieux mineur.

Henri eut un beau geste d'indifférence.

—Peuh! quarante-trois dollars suffiront.

La langue du futur prospecteur se dessécha subitement dans sa bouche. Il lui fallut une minute avant de bredouiller:

—Voulez-vous être assez bon pour me faire la note?

—La note? eh bien! vous venez des vieux pays, ça se voit... Mais c'est facile: ce sera un dollar de plus, pour le trouble... Attendez, je vais l'écrire.

Un moment plus tard le jeune homme parcourait l'addition suivante:

	Dollars
Une boîte d'huîtres	10
Un demi-canard	4
Un steak d'orignal	3
Une bouteille de vin français	25
Café	1
La carte	1
	44

Lorsqu'il l'eut bien lue, vérifiée et relue, il tira sa bourse en peau de daim. C'était justement celle qu'il avait achetée pour recevoir ses trouvailles. Sans un mot, il la vida devant Oppenheim.

—Ça ne fait pas le compte! remarqua ce dernier qui commençait à s'impatienter. Il manque quatre dollars.

Robert prit un cure-dents, pour dissimuler sa honte:

—Je le sais... Je n'ai pas un sol de plus. Je le regrette; mais j'ai un tas de provisions là-bas, et je suis prêt à...

—Jamais de la vie.... Pourquoi ne les avez vous pas mangées au lieu de venir ici voler un honnête homme?

—Est-ce que je pouvais me douter de vos prix?

Et puis, comme lui aussi commençait à perdre son sang-froid, il ajouta:

—De nous deux, bien sur, le vrai voleur n'est pas moi.

Oppenheim le frappa brutalement sur la bouche. Robert se jeta sur lui. Les deux hommes roulèrent à terre. Presque aussitôt ils furent séparés par les mineurs qui, jusque-là, avaient écouté l'altercation sans intervenir. Et un très vieux Canadien, surnommé «le banquier» qu'on venait de héler dans la rue, prit la parole:

—Si vous voulez vous battre, restaurateur, et vous, jeune inconnu, il faut le faire en hommes, et non en chiens... On va ranger les tables, vous prendrez chacun un témoin, et je serai l'arbitre. Déshabillez-vous selon les règles, jusqu'à la ceinture. Nous ne voulons pas de sable ou pouce dans les yeux, tenez-vous-le pour dit!

Trente ans de courses en zig-zags à travers l'Alaska, et, au terme, de cette longue quête, le plus riche des *claims* du pays donnaient au «banquier» une autorité incontestée. Les quelques «Bien dit!» «Il a raison!» qui suivirent son apostrophe, en prouvaient plus qu'une explosion de vivats sous un ciel du midi. Le mastroquet le comprit: l'assistance tenait à s'offrir un spectacle de haute lutte. Il examina son adversaire, nota son cou un peu grêle, son nez aquilin, ses bras à poignets de femme. Les siens, à lui, étaient de vrais tomahawks qui mesuraient quinze centimètres de tour; seulement, il prenait du ventre près de ses fourneaux, et l'autre, au contraire, avait un excellent thorax.

—Je suis prêt, dit-il. Judd, voulez-vous me servir de témoin?

Robert, qui venait d'ôter sa chemise, entendit une voix traînante, à la façon des Esquimaux, répondre par derrière:

—*Yas.*

À son tour, il se tourna vers le cercle:

—Je ne connais personne ici... Qui veut être mon témoin?

Pas de réponse. La vie d'Alaska stupéfie les langues, sinon l'imagination. Pour la seconde fois en Amérique, le jeune homme éprouva l'horrible sensation de ceux qui se noient. Puis il se ressaisit, serra la ceinture de son pantalon et aperçut tout à coup, battant sur sa poitrine, son scapulaire de France. Il en reçut une nouvelle impression de ridicule. Toute sa jeune vie, il s'était cru au-dessus du respect humain, et cependant, voilà qu'il y succombait sous une soixantaine d'yeux attentifs. Maladroitement, il voulut enlever le scapulaire, quand une voix s'éleva:

—Gardez-le, mon fils!... Vrai comme je m'appelle Patrick O'Hara... et votre second, si vous voulez... Il vous portera bonheur. Moi aussi, j'en ai un, où ma femme a cousu un *«Agnès Christi»*.

—Ce n'est pas franc: il doit tout enlever jusqu'à la ceinture! cria Judd, très important.

Pat se mit à grasseyer comme seuls savent le faire les Irlandais.

—Vrai? Par où doit-il commencer, mon ami le savant? par en haut ou par en bas?

Quand les larges poitrines du nord se dilatent par extraordinaire, c'est un véritable grondement de cataracte: l'explosion de rires fut telle que Judd, proférant d'étranges imprécations, prit le parti d'aller tout de suite chercher de l'eau et des serviettes. Il fit bien, d'ailleurs: car nulle écluse n'aurait pu arrêter la verve de notre ami Pat.

—Et vous ne savez pas ce que c'est!... Il n'y a que les catholiques romains comme moi et lui qui en ont le secret... Avec ça, nous avons toujours le temps, quoi qu'il survienne, de faire un acte de «contorsion». N'est-il pas vrai, jeune homme?... De plus, la boxe, ça n'a pas de mystère pour moi, et je vous le dis ici, mes *boys*, il n'y a rien qui défende le scapulaire dans les règles du marquis de Queensbury!

Avec quelle emphase il prononça le nom du très noble lord, maître du plus noble des arts masculins! S'il eût jeté à la tête de ses auditeurs l'énorme in-folio du gentilhomme en question, leur impression n'en aurait pas été plus profonde. Si bien que «le banquier» approuva de la tête:

—Pat a raison.

Après ça, qu'est-ce qu'il restait à faire, je vous prie, sinon à prier le petit Mac Donald de mettre un genou en terre et de présenter l'autre au Français, dans l'intervalle des «rondes», en guise de fauteuil, où reprendre haleine?

La lutte commença, au rythme des secondes que marquait la montre du banquier. De temps à autre, on entendait sa voix de revenant du pôle: «*Time!* allez-y!...»—«*Time!* séparez-vous!» et puis la respiration entrecoupée des deux adversaires. Les spectateurs ne bougeaient pas plus que des morts.

Dès la première «ronde», il fut évident que, si Oppenheim manquait de souffle, Saint-Ours ne connaissait rien du tout à la boxe. Avec sa préoccupation latine de la galerie et de l'effet, il commença par manquer ses coups droits, et reçut en retour trois ou quatre formidables assommoirs sur la mâchoire. Alors, il se mit à se battre sans penser à rien autre. Et quand sonna la trêve:

—Où donc avez-vous appris à boxer? lui demanda Pat, inquiet malgré le scapulaire.

—Je n'ai jamais appris, souffla Robert.

—Sainte mère de Dieu! Pourquoi vous battez-vous, alors?

—Le diable m'emporte si je le sais!... Je n'ai pas pu le payer...

On naît avec la haine des *landlords* et de tous les patrons en général, à Dublin. O'Hara ne faisait pas exception à la règle.

—Je comprends, fit-il. C'est lui qui a tort, et, pour le rouler, je vais vous donner un secret... Fermez la bouche, serrez les dents, ouvrez les yeux et tapez-lui sur le nez jusqu'à ce qu'il soit en bouillie. Mais, d'abord, mettez ça dans votre poche; c'est un talisman qui m'a toujours réussi.

Entre deux gorgées d'eau dont il lui aspergeait le visage, à la façon des blanchisseurs chinois, il lui glissa un bout de corde volée, nouée cinq fois—trois et deux.—Robert se releva et retourna à la bataille. Les nœuds de lutin ne lui servirent pas plus que les cris de son second surexcité.

—Sur le nez, pas trop haut!... Sur la bouche afin de l'endormir!... Holà! ce n'est pas de jeu...

Malgré son agilité, le jeune homme, acculé dans un coin, ne put éviter un coup droit au creux de l'estomac: il fléchit les genoux; Oppenheim redoubla derrière l'oreille, et Robert tomba aux pieds de son ennemi triomphant. Jusqu'en ce pays perdu, les haines de l'Année sanglante reparaissaient irréductibles, et ce fut peut-être l'humiliation d'être vaincu par l'Allemand qui fut, à cette minute, la plus cruelle douleur du Français.

Il se réveilla sous la tente de Tildenn. Pat l'éventait d'une serviette, sans discontinuer le jet de sa bienfaisante rosée. Mais quel air maussade il avait! Même, Robert s'imagina l'entendre marmotter:

—Pourtant, il n'est pas trop mal bâti, ce garçon-là! Où a-t-il bien pu faire son éducation?... Quelque école gratuite, je parie, où l'on en a pour son argent!... *By Goth!* L'avez-vous vu, Tildenn? Il n'a fait qu'épousseter cette andouille d'Oppenheim. On aurait juré qu'il se méfiait de ses propres poings... Non, vrai, voulez-vous me dire ce qu'on apprend aux enfants en France?

Et Robert de Saint-Ours qui battait déjà la campagne, —en Europe ou en Amérique, —Robert, crachant le sang, murmura d'une voix faible, avant de s'évanouir une seconde fois:

—Bachelier... bachelier ès lettres... ès...

—Qu'est-ce que c'est que ça? cria O'Hara. Que diable est-ce qu'il baragouine?

Nul ne lui répondit: qui donc aurait pu le renseigner en ce pays de sauvages?

VIII

N° 16, ELDORADO

Vingt-quatre ans auparavant, Juneau avait reçu de ses amis, à Saint-Paul-l'Ermite, une pipe excessivement compliquée. Elle se composait de deux récipients emboîtés l'un dans l'autre: l'intérieur, il le renouvelait tous les deux ans, quand le tabac l'avait calciné; l'extérieur, toujours le même, représentait un coureur des bois. De sa bouche sortait un ruban: «C'est mouë qui suis Juneau!»

Perdue deux ou trois fois d'abord au cours de ses vagabondages le long des côtes d'Alaska, elle avait toujours fini par revenir au trappeur, grâce à son inscription, si bien que désormais, à l'exemple des Indiens, il n'était pas loin de lui attribuer une vertu magique, et il la gardait comme la prunelle de ses yeux. C'était elle, au lendemain du duel entre Oppenheim et Robert, qu'il fumait dans la cabane de Boucher, au n° 16 de l'Eldorado. Les petites couronnes bleuâtres qu'il en tirait, à temps égaux, s'en allaient se fondre sous le toit de l'isba, avec celles de son ami, assis à côté de lui, et tous les deux, les regardant en silence, rêvaient aux communes misères d'autrefois.

De plus en plus inséparables, les vieux camarades passaient ainsi leurs journées, maintenant que la fortune leur avait souri. Juneau, qui fut toujours prodigue, et dont le *claim* n° 23, sur le Bonanza, était bien moins riche que celui de son camarade, faisait travailler sa mine par trois hommes, à quart de bénéfice. Boucher, dont le placer était une caverne d'or, prétendait-on,—personne n'était descendu dans son puits unique, si ce n'est celui qui l'avait aidé à le creuser, un Suédois, mort depuis,—Boucher ne quittait presque jamais son repaire, et n'employait plus aucun mineur.

—À quoi bon sortir mon or? N'est-il pas là dedans plus en sûreté que dans une banque?... Quand j'en ai besoin, je n'ai qu'à descendre dans le trou et à remonter avec un seau.

Cela paraissait incroyable; pourtant, il avait bien fallu se rendre à l'évidence des pépites qu'il en tirait à volonté, plus nombreuses que les cailloux qui les clairsemaient! Les autres *claims* de ce Whipple

Creek étaient si riches, du reste, que les mineurs avaient changé son nom en celui d'Eldorado, tout comme l'avait crié Georges Cormack au jour de sa découverte: «L'El Dorado du monde, mes gars!»

Quand une tête plaisait à Boucher, sa générosité était prodigieuse; les avances qu'il faisait, le mystère du puits inconnu aidant, lui avaient donc valu ce glorieux surnom: «le banquier». Et les histoires les plus fantastiques couraient sur son compte, aux veillées des Indiens Chilkoot ou Tagish, de Circle City à Skaguay et Dyea.

Ce fut chez cet original que Tildenn amena Robert de Saint-Ours quand ils eurent constaté que la barque du jeune homme et ses provisions avaient disparu pendant ses exploits de la veille. Sa nouvelle existence, décidément, commençait sous de fâcheux auspices. À peine entré, il reconnut l'arbitre de sa lutte homérique; il ne put retenir un geste de surprise. Mais Boucher le fit asseoir sur une défense de mammouth, naguère tirée de son puits, et déclara:

—On m'a raconté votre histoire. Ça m'a rappelé le temps où je n'avais pas même d'aussi bons habits que vous sur le corps. Il vous faut absolument de quoi acheter des provisions pour deux ans, pendant lesquels vous «courerez» votre chance... Voulez-vous que je vous les donne?

Le ton du Canadien était brusque, entièrement d'accord avec ses façons de vieux solitaire. Saint-Ours, pris au dépourvu, fut sur le point de s'écrier: «Pour qui me prenez-vous?» Mais, avant même qu'il eût ouvert la bouche, la raison fit taire son amour-propre, d'un cri pareil: «Et pour qui te prends-tu toi-même? Qu'est-ce qui te reste en poche?»

—Vous êtes bien obligeant: j'accepte avec plaisir, répondit le jeune homme. Il est convenu, n'est-ce pas, que ce ne sera qu'un prêt, et que je vous donnerai un intérêt?...

Boucher se fâcha:

—Je ne prête pas de l'argent à intérêt aux pauvres comme vous, moi!... Et si ça vous fâche, ce que je dis là, tant pis! Je suis comme ça, moi: j'ai mangé plus de misère que vous, et je sais ce que c'est!

Il se leva, prit une écuelle sous son lit, souleva une trappe au milieu du plancher, et commença de descendre les bâtons de l'échelle qui venait affleurer les bords du trou; bientôt il disparut dans l'ombre, tandis que Robert, stupéfait, se penchait sur la bouche de cette glacière.

Les parois, en effet, étaient de glace vive, avec, çà et là, en saillies, des ossements de monstres préhistoriques, d'où tombaient une à une les gouttes d'eau dégelée:—on eût dit qu'ils pleuraient le rapt des trésors confiés à leur garde, ces squelettes qui, depuis des milliers de siècles, depuis le jour où de formidables convulsions du globe les avaient jetés là, avaient attendu la découverte du Klondike.

Il y eut une faible lueur rougeâtre en bas, qui s'évanouit presque aussitôt: Boucher venait d'allumer sa chandelle, et bientôt on entendit le bruit de son pic, qu'il devait manier au fond de quelque tunnel latéral. Juneau sortit d'entre ses lèvres la pipe manitou:

—Asseyez-vous, dit-il. La veine est dure et Boucher est vieux. Ça lui prendra au moins vingt-cinq minutes.

Sur ces entrefaites, la porte s'ouvrit brusquement, et qu'est-ce qui se présenta? Maître Oppenheim, en chair et en os, plus solide que jamais. Il ne vit personne, d'abord, sauf Juneau, auquel il s'adressa en anglais.

—Le banquier est-il ici?

—Oui, il est en bas. Que lui voulez-vous?

—C'est pour un emprunt que je viens... J'ai besoin d'argent pour une petite spéculation, et je me suis dit: «Pourquoi ne pas favoriser un travailleur comme moi, plutôt que les banques régulières de Dawson?»

La pipe manitou tressauta, et tomba sur les genoux de son maître ou de son protégé—on n'a jamais su lequel.—Cependant, Juneau ne dit pas un mot, et Oppenheim continua avec bienveillance:

—Il va sans dire que je lui donnerai toutes les garanties possibles... Peut-être ne me reconnaissez-vous pas. Je suis «monsieur Oppenheim».

Depuis le jour où il avait acquis de la couronne, c'est-à-dire du gouvernement, son *claim* de Bonanza, Oppenheim, comme disent les Canadiens, était devenu un seigneur. Non pas que son placer contînt des richesses extraordinaires: il ne valait même pas celui de Juneau. Mais il y avait trouvé de quoi bâtir le premier restaurant de

Dawson, où l'on se chauffait gratis en hiver. Un bar y attendait, avec une salle de jeux, et les consommations ne coûtaient rien aux joueurs sérieux, — ceux qui s'assoient à la table verte avec un sac ou deux de pépites devant eux, et une cuiller, pour y puiser leurs enjeux. De plus, Henry était devenu l'un des membres les plus influents du *Push*, ce poulpe qui enlaçait Dawson de ses ventouses toujours exsangues, et l'étreignait et le suçait au taux mensuel de... on ne saura jamais quel nombre de millions... pour le plus grand honneur d'une administration anglo-saxonne. Les principaux fonctionnaires qui en faisaient partie... Mais je ne raconterai pas leurs exploits aujourd'hui: c'est encore de l'histoire moderne. Disons seulement qu'Oppenheim en était l'un des maîtres, et que sa suffisance, en de telles heures de prospérité, commençait à être digne de sa musculeuse rondeur.

Juneau, qui avait repris son brûle-gueule, poussa du pied, dans le trou, un morceau de quartz tout pailleté d'or. En bas, le pic s'arrêta et Boucher cria:

—Ohé! Qu'est-ce qu'il y a?

Alors, Juneau, avec son bel accent percheron d'Amérique:

—Y a-t-eune homme qu'a veut emprunter de l'argent.

—Combien?

Oppenheim se pencha à son tour:

—Cent onze mille dollars pour trois mois, au taux de...

Boucher l'interrompit:

—Juneau! est-ce un Anglâ?

—Ouè!

—Alors, dis-lui «d'espérer». Je les prêterai si ça me plaît. Je vais toujours remplir un seau au lieu d'une écuelle.

Henry s'assit sur le lit du propriétaire et regarda autour de lui. Quand il reconnut Robert, jusque-là resté muet, il se leva, et, rempli d'une bonne humeur de vainqueur, lui tendit la main.

—Tiens, c'est vous! Sans rancune, n'est-ce pas?

Robert mit les siennes derrière son dos.

—Gardez votre main pour d'autres: les miennes sont propres.

Bien des fois, par la suite, Tom a raillé cette réponse, qu'il a toujours attribuée à un dépit ou à une envie essentiellement gauloise. S'il se fût aussi rigoureusement examiné, il eût découvert peut-être en son âme une admiration essentiellement yankee pour le *Push* et pour les banknotes d'Oppenheim.

Quoi qu'il en soit, l'ascension de Boucher détourna toutes les pensées par un véritable coup de théâtre. Le vieux mineur, en effet, portait sur son épaule un seau de gravier, ou plutôt d'or, comme on le vit, lorsque, surpris de trouver l'Allemand, il laissa tomber sa charge par terre: une partie s'en alla rejoindre en bas le quartz de Juneau; l'autre fit un éparpillement sur le plancher.

Boucher ouvrit la bouche, sembla avaler quelque chose qui ne voulait pas passer, et dit avec un réel effort:

—C'est vous, Henry Oppenheim, chez moi!

—Oui, eh bien?

Il y avait trois cent douze ans que les aïeux du vieux avaient quitté la Normandie sur les vaisseaux du roi pour s'en aller au «païs du Canada», mais leur sang coulait encore aussi rusé dans ses veines. Avant de répondre, il fit deux pas vers son chevet, souleva une peau d'ours, en retira une carabine Winchester, et se retourna alors vers «monsieur Oppenheim». Juneau, Tildenn, Saint-Ours se levèrent; il leur fit signe de se rasseoir, et se mit à parler presque à voix basse.

—C'est bien vous que j'ai déjà vu avant-hier. Vous ne changez pas... Moi, je ne suis plus le même depuis le jour—il y a trois ans de cela—où vous avez abandonné un vieillard pour le laisser crever par terre...

—Quoi! c'est vous qui...

—C'est moi, moi, Jean-Napoléon Boucher. Et voilà la pierre sur laquelle ma tête a saigné pendant que vous couriez voler ma part de découverte... Voyez-vous l'or que le sang a lavé?... C'était ici, au-dessus du trou que j'ai creusé plus tard, et où il y a, Dieu merci, plus de millions que n'en volera jamais le *Push*... Vous avez bien vu? Vous souvenez-vous à présent? Juneau, ouvre la porte!

—Si le *claim* est aussi riche que ça, vous devriez me remercier!

—Sortez! filez! Ne revenez plus jamais ici, Oppenheim, ou, de par sainte Anne, je vous tire dessus comme sur un loup!

—C'est bon!—grommela le mastroquet, en battant en retraite;—allez, ne vous égosillez pas ainsi... Que le diable vous emporte bientôt, Boucher: vous êtes assez vieux et assez rancunier pour ça! Quant à votre ami le Français qui me doit de l'argent...

Robert se baissa, ramassa une pépite, la jeta de son côté:

—Tenez, payez-vous. Ça fera un compte de réglé. L'autre le sera un peu plus tard. Vous ne perdrez rien pour attendre!

—Quand vous voudrez. Ah! quelle jolie collection de fous vous êtes, là dedans, parole d'honneur!

Or, voilà qu'un peu plus loin, sur cette même trace de l'Eldorado, où, nuit et jour, passaient des centaines et des centaines de mineurs, Henry Oppenheim rencontra un autre aliéné, un vrai, celui-là, et qui s'en allait rejoindre les premiers, au numéro 16.

C'était Richard Whipple. Ses cheveux avaient blanchi depuis l'heure où, après deux bouteilles de wisky, il avait, sur le comptoir même du marchand de wisky, vendu au *Push*, quatre mille francs comptant, le *claim* d'où ils avaient tiré ensuite, eux, trois millions; et ce n'était pas fini.—Après sa vente, Whipple avait pris un autre*claim* sur un petit affluent de l'Eldorado, l'*Irish gulch*, derrière chez Boucher; il n'avait rien trouvé au premier puits, mais, après le second, ses amis l'avaient vu descendre la montagne en criant:

—L'or, je l'ai «frappé»! plus riche que celui de Boucher!... Oh!... oh!... oh!...

Aussitôt, on se rua en masse sur l'*Irish gulch*, on s'écrasa pour y arriver, planter les premiers piquets, et deux mineurs s'entre-tuèrent à coups de hache. Quand l'ordre se fut rétabli tant bien que mal, tout le monde courut voir la découverte de Whipple. Assis par terre, le mineur serrait sur sa poitrine d'énormes cailloux roulés et les embrassait en criant:

—C'est de l'or!... Je ne le vends pas, celui-là... Oh!... oh!... oh!...

Pour ne pas entendre de nouveau son vilain cri de fou, moitié homme, moitié bête, Oppenheim pressa le pas. Whipple lui demanda à manger; il lui tendit un de ces biscuits de matelot qu'on dévorait alors au Yukon en guise de pain, et l'autre s'en alla chez Boucher, où il entra, répétant son éternelle plainte:

—Oh!... oh!... oh!... voyez mon or! qu'il est bon à manger! Ah! qu'il est donc bon!

Il n'y avait plus que Juneau avec son ami dans la cabane, et les pensées qu'ils ruminaient n'étaient pas des plus pacifiques. Tous les deux détestaient Oppenheim et le *Push*. En voyant leur première victime, Boucher eut une inspiration; il saisit le survenant à bras le corps, et, le regardant dans les yeux:

—Whipple... veux-tu que je vende pour toi ton *claim*?

—Non... il est plein d'or. Je le garde comme vous, Boucher. On m'a pris l'autre. Oh!...

—Oui, nous savons, Juneau et moi. Mais nous ne sommes pas du *Push*, nous autres... Si on te le vend, tu auras de l'argent plein, tout plein tes poches, pour t'en aller au sud.

—Vrai?... Mais je suis riche, moi, et je mange de l'or. Regardez!

—Tiens, voilà de la viande, c'est meilleur: signe ce papier et je te la donne. C'est meilleur à manger, va.

—Non! je...

—Alors, rends-la moi et va-t'en...

Whipple leva sur lui ses yeux de vieux fou derrière lesquels il y avait des larmes qui ne pouvaient pas couler: sous les longs cheveux sales, cette angoisse était horrible à voir. Boucher lui prit la main, le fit signer comme un enfant. Alors il lui rendit la viande: l'homme se mit à rire, il en emplit ses poches, il s'en fourra de gros morceaux dans la bouche et reprit sa route vers sa tanière de l'*Irish Gulch*. Parfois, entre deux coups de dents, il essayait de dire encore:

«Que c'est bon, de l'or, oh! que c'est bon!»

Juneau, cependant, s'était tourné vers Boucher:

—Qu'est-ce que tu veux faire de cette procuration?

— Tu verras plus tard, mon vieux... Le jour où j'ai roulé en bas du Gold Hill, Richard Whipple est le seul qui ait eu pitié de moi. J'ai une dette envers lui comme envers les autres. Tu m'aideras à la régler... Laisse-moi réfléchir, en attendant, et passe-moi un peu de ton fameux tabac de Saint-Jacques-l'Achigan.

Robert de Saint-Ours était retourné à Dawson avec Tildenn afin d'y acheter de nouvelles provisions. Il était convenu qu'il allait s'associer avec l'ancien agent de change et l'ex-*policeman*, aux mêmes conditions que Mac Donald: fournir à la communauté la même somme de travail et de vivres, et participer à un cinquième des revenus de leur *claim* du Boulder, le jour où ils y trouveraient de l'or.

En effet, bien que cet affluent du Bonanza se trouvât dans une région où il n'était plus possible d'user du droit de premier occupant, personne encore n'y avait déterré, il serait plus exact de dire *dégelé*, la moindre pépite. Néanmoins, on fondait de grandes espérances sur le Boulder, et, le soir, après les journées de déceptions, Tom et O'Hara s'en allaient, bras dessus bras dessous, retrouver chez leurs voisins un peu de ces illusions qui sont plus nécessaires au mineur que le sommeil.

Quant à Mac Donald, son histoire, quoique moins douloureuse, était celle de Whipple: pas plus que ce dernier, il n'avait eu foi dans le Bonanza, au lendemain de sa découverte. N'était-ce pas la centième fois qu'on se laissait aller à des «emballements» de ce genre? Aussi, quand il avait trouvé trois mille cinq cents francs de son *claim*, voisin de celui de Juneau, un mois après son arrivée du Forty Mile, il s'était empressé d'accepter cette offre.

Il fit deux parts de l'argent: la première fut bue aux heures tristes, qui revenaient pour lui plus souvent que pour les autres; la seconde, paraît-il, fut envoyée en Écosse,—à qui? personne ne le savait; on n'avait, au reste, aucun intérêt à l'apprendre... Tom Tildenn, qui avait reconnu un égal sous ses loques de prospecteur, lui avait un jour proposé une association qui se transforma vite en solide amitié, faite de protection chez le *gentleman* de New-York et de reconnaissance chez celui de Perth. Souvent, au fond de leur puits, où ils abattaient le gravier que Pat remontait ensuite au moyen d'un câble sur un tourniquet, Mac Donald s'était désespéré: il ne fallait pas descendre aussi profond pour trouver l'or, sur son ancien *claim* de Bonanza! Il paraît qu'on en avait déjà tiré trente fois le prix d'achat... Tildenn lui disait, dans ces moments-là, de rayer de sa mémoire le passé: «Il y a des vies entières perdues à pleurer ainsi sur ce qui ne reviendra plus.» Il lui faisait remarquer qu'au surplus son ancien 24 était loin de valoir le 23, à Juneau, par suite de ces inexplicables sautes de traînées aurifères: pour une transaction du Klondike, son acquéreur ne pouvait se vanter d'avoir fait un marché exceptionnel.

C'était surtout ce dernier raisonnement qui semblait redonner du courage au petit Écossais. Alors Tildenn s'indignait:

—Oubliez donc tout ça! tant mieux pour les autres, s'ils peuvent y trouver des trésors!... Pour nous, les nôtres sont là-dessous, entendez-vous! Seulement, le lit de roches, le *bed rock*, au lieu d'être à seize, est peut-être à cent pieds!... Allons, préparons le feu qui dégèlera cette nuit une autre tranche de terrain. *Go ahead!*

Ils étaient donc à Dawson, ce jour-là, tous les quatre, pour un de ces achats qui, deux fois l'an, exigent la plus grande sagacité des mineurs. Depuis la découverte des trésors d'Alaska, la variété des boîtes de conserves et des falsifications s'est multipliée à l'infini: bœuf de Chicago, homards de Terre-Neuve, truites des lacs, «liebigs» qui n'en ont que l'étiquette, pâtés de Toulouse, légumes de France ou de Californie, «pommes fameuses» du nord, ananas du sud, etc., etc.,—tout ce qui donne de la chaleur comme le lard, de l'énergie comme le sucre ou la saccharine, de l'endurance comme les haricots, de la cervelle comme les pommes, tout ce qui se mange en un mot—sans oublier le chocolat au citron contre le scorbut—tout cela livre au prospecteur des assauts plus terribles que ceux jadis repoussés par le grand saint Antoine. Les qualités, naturellement, varient du médiocre à l'exécrable, mais, pour les deviner, il faut une expérience chèrement acquise aux dépens de l'estomac, ou une astuce que les réclames enluminées de la boîte ne sauraient circonvenir.

La bande du «n° 7, Boulder», était occupée à faire son choix dans les entrepôts de l'*Alaska Commercial*, parmi une foule d'autres mineurs de toutes les parties du monde, quand l'un d'eux fit jouer le graphophone du magasin. C'était le premier importé sur les rives du Yukon, et il attirait chaque jour une affluence considérable, puisque, pour un dollar, glissé sur le côté, il vous jouait n'importe quel air. Il y eut le déclic d'un ressort, puis une voix criarde annonça: «*Blue bells of Scotland*... joué par... pour le *Columbia Phonograph Co. of New-York and Paris.*»

Un grand silence, tout à coup, se fit dans cette foule, où il y avait beaucoup de highlanders. Mac Donald déposa les boîtes qu'il examinait et se retourna vers l'instrument magique. Qu'est-ce qui chantait là dedans, une âme ou un corps? — et pleurait ainsi tous ceux qui étaient partis ou bien criait aux absents: «Revenez! revenez au pays!...» Les hautes terres apparurent à ses yeux, faites d'amour et de tristesse, et de la cendre des aïeux, tout imprégnées encore de leur vie saine et robuste; et puis ce fut l'ancienne résidence des rois d'Écosse, Perth la jolie, que chanta Ossian, Perth aux eaux délicieuses, le mont Dunsinane, avec le château de Macbeth, le lac Katrine, les ruines des vieux temples catholiques — tandis que pleuraient, chantaient, sonnaient encore une fois, jusque sous le pôle arctique, jusque dans les neiges qui étreignaient l'enfant perdu, les cloches, les cloches bleues d'Écosse!

IX

UNE COURSE À L'OR

Le commissaire de l'or, ce maître sans appel qui tient au creux de sa main tous les sables aurifères du Yukon, avait pour chef de bureau, à cette époque, un homme des plus intelligents. Pas plus que les camarades, il n'était venu au Klondike pour améliorer son état spirituel: des intérêts plus pressants réclamaient son attention. Auteur de trois enfants auxquels il devait se conserver en bon père de famille, au lieu de courir à travers les mousses et leurs milliards de moustiques, loin des glaciers où tant d'autres trouvèrent la richesse et la mort, tranquillement installé derrière son guichet, il attendit l'occasion, et la saisit maintes fois au passage, puisqu'il put se retirer avec deux cent mille dollars au bout d'un an, quand ses tours de passe-passe devinrent trop gênants pour son patron.

Un prospecteur venait-il s'abattre hors d'haleine à sa grille? S'il avait un de ces visages d'honnête homme naïf qui sont une sûre enseigne, il le laissait décrire avec force détails le lieu de sa découverte, lui demandait quelques spécimens de l'or retiré du premier trou, puis se retranchait derrière un manuscrit énorme qu'il se mettait à feuilleter sans que les plus perçants regards pussent y rien distinguer. Au bout de quelques pages, il réapparaissait au guichet, dissimulant à peine la lassitude d'un homme qui se surmène au service d'autrui, et pour quel misérable salaire!...

—Voulez-vous remettre à demain soir l'enregistrement définitif de votre déclaration? J'en prends bonne note, mais il me semble qu'il y a déjà eu quelque prise de possession dans cette région...

—Pas sur mon ruisseau, j'en suis sûr. Il n'y avait pas un seul piquet.

—C'est possible. Je suis tout disposé à vous croire... En ce cas, vous aurez vos droits de découverte. Mais vous me donnerez bien une journée pour débrouiller cet imbroglio (premier soupir, en désignant les registres)... Ils ont été mal commencés, et nous ne savons plus où donner de la tête (deuxième soupir).

Huit à neuf cents mineurs à la porte, derrière vous, attendaient leur tour de guichet, et vingt degrés au-dessous de zéro leur faisaient trouver le temps des autres excessivement long. «Qu'est-ce qu'il récite donc? — A-t-il fini, ce client-là?» Puis un murmure tout à fait énervant, qui vous décidait à battre en retraite avec un juron ou une invocation à votre saint patron, selon votre tempérament. Le résultat, du reste, dans les deux cas, était identique: le registre établissait clairement, vingt-quatre heures après, qu'un autre vous avait précédé de deux jours, et que, par conséquent, il avait seul droit aux mille pieds de découverte. Vous deviez vous estimer heureux s'il restait quelques *claims* à prendre aux environs, de ceux que, dans sa hâte, le *Push* avait négligé d'occuper le soir même de votre déclaration. Vraiment, oui, dans les bureaux de l'or, on travaillait jour et nuit.

Évidemment, dans un siècle où Don Quichotte se cache tellement qu'on se demande s'il a jamais pu exister, le plus pratique était d'entrer dans la société coopérative d'Oppenheim. Tildenn l'avait déjà tenté, pour s'en voir à deux reprises refuser l'accès, grâce à l'opposition du restaurateur. Avec son flair habituel, celui-ci prévoyait un redoutable rival. Tom se rendait à Dawson pour renouveler sa demande lorsqu'il rencontra le cuisinier du chef de bureau en question. Ce métis, d'ordinaire, ne montait pas aux mines: cette fois, il portait en bandoulière une demi-douzaine de boîtes de conserves; une hache était enfilée à sa ceinture de cuir, il marchait si vite qu'il répondit à peine au salut du New-Yorkais.

—Bonjour... Je m'en vais me reposer huit jours sur le *claim* d'Oppenheim!

Tildenn ne lui avait fait aucune question. Cette hâte d'explication commença de l'intriguer. Un peu plus loin, il aperçut un groupe de chemises blanches, des joueurs, des souteneurs, une collection de *gentlemen* dont le linge propre et les visages rasés proclamaient très haut les avantages matériels du vice sur la vertu, tout au moins au Klondike de 1898. Eux aussi couraient... Assurément, ils avaient quitté Dawson sans prendre le temps de s'habiller de laine, et la nouvelle découverte — qu'est-ce qui aurait pu, autrement, les presser ainsi? — devait être très proche: quelque colline telle que ce fameux Mont d'Or, trouvé par hasard bien longtemps après l'Eldorado gisant à ses pieds, quand des milliers de personnes l'avaient escaladé sans y rien voir...

L'Américain fit volte-face et les suivit de loin. Il n'avait pas de provisions, mais il avait un revolver et, mieux encore, une indomptable volonté. Bientôt, son gibier prit sur la gauche, gravit la montagne du Bonanza, dont la crête dénudée s'en va jusqu'au Dôme du Roi, et, là, obliqua vers le nord-est. Ils suivaient, en hésitant, la voie indiquée par des entailles, aux arbres ou aux buissons, que faisait, évidemment, à coups de hache, le métis d'avant-garde. Pour ne pas être remarqué sur ces sommets, d'où la vue s'étend bien plus loin qu'au creux des vallées, Tildenn dut se laisser distancer. Bientôt, il eut un moment de distraction, fit une centaine de mètres sans retrouver leurs brisées, leva les yeux, aperçut le petit groupe qui descendait dans une vallée de l'autre côté des Dômes, et voulut couper droit sur le point où il l'avait vu disparaître. Or, c'est le plus fantastique des labyrinthes qui s'enchevêtre autour de ces anciens volcans: arrivant du nord, vous descendez au sud et vous venez retomber, après deux jours de marche, exactement dans la vallée d'où vous aviez commencé votre ascension. Notre prospecteur, lui, se mit à suivre une source qui, à quinze cents pieds plus bas, devenait sans doute un ruisseau, probablement celui de la découverte. Pour écouter le pas de ceux qui le précédaient, il s'arrêta, retenant même son haleine: rien ne parvint à ses oreilles, si ce n'est le vol d'une corneille troublée dans sa sieste. Il prit son revolver, l'abattit d'une balle, et la fourra dans sa poche sans trop se rendre compte de ce qu'il faisait; puis, il se remit en marche sur une piste d'orignal, qui s'enfonçait dans les noirceurs des bois d'en bas.

Peut-être finirait-il par retrouver les autres... Six heures après, il s'arrêtait, égaré, sous un ciel gris d'où la pluie commençait à tomber, au pied d'un chaos de montagnes d'où s'égouttaient de tous côtés les glaces éternelles. Pourquoi ne pas se le dire carrément, puisqu'il le pressentait depuis son coup de feu? Oui, il était perdu, dans une région absolument inconnue, après avoir traversé d'innombrables ruisseaux plus enchevêtrés encore dans sa mémoire que dans cette fantastique région,—perdu pas très loin du Bonanza, sans doute, mais sans le moindre point de repère, et, ce qui était plus grave, sans allumettes ni briquet! Comment suivre la pratique indienne, si sage en de telles circonstances, s'asseoir, fumer une pipe, reprendre le fil de ses idées?... Et il pleuvait comme il ne pleut qu'en Alaska: des filets continus ruisselant de quelque diabolique écumoire d'en haut; ils traversaient ses habits comme autant de petites aiguilles froides, tout le long du corps, jusque dans les bottes, où le pied, se gonflant, faisait déborder l'eau à chaque pas.

Enfin il s'arrêta sous un arbre, tira sa corneille, l'écorcha au lieu de la plumer, pour aller plus vite, et la porta à ses lèvres: malgré sa faim, le cœur lui chavira devant cette chair mouillée et sanglante, et comme il grelottait sous ses habits qui formaient maintenant éponge, il recommença à avancer. Maintenant les jarrets lui faisaient mal chaque fois qu'il soulevait les jambes pour mettre un pied devant l'autre; néanmoins, il alla toute la nuit, à travers un déluge qui noyait ces crevasses, presque aussi mortes que celles de la lune. Malgré lui, l'épouvante d'une agonie prochaine, quelque part dans la mousse moisie, comme il était arrivé à tant d'autres, s'empara de son esprit. Il avait beau la chasser, elle revenait toujours, elle s'embusquait derrière chaque buisson, lui sautait dessus avec chaque branche qui le frappait au visage, et répétait, aussi régulière que le gémissement de la pluie: «Tu vas mourir bientôt... tu vas...»

Et lui qui, jusque-là, n'avait jamais eu peur de la mort, lui qui avait vu, sans baisser les yeux, des revolvers braqués sur son front, il se mit à courir. Pourtant, il marchait depuis plus de trente-six heures. Ses jambes auraient pu le porter longtemps encore, mais le souffle lui fit défaut: il butta contre une racine, tomba sous un arbre, et, la face vers le ciel, resta étendu sans se relever, quoiqu'il n'eût pas absolument perdu connaissance.

La mousse, s'enfonçant sous son poids, lui faisait une auréole d'eau rougeâtre: il lui sembla rentrer dans cette terre dont il était sorti jadis, il y avait des siècles, et qui, maintenant, allait le délivrer de l'horrible misère humaine. Comme il y dormirait bien, là, tout de son long, une fois qu'il ne sentirait plus la pluie ou l'anéantissement de l'être si loin, si loin du monde entier! Puis, soudain, il eut une reprise de vie dans cet abandon. Il pensa à l'effroyable distance qui le séparait de la civilisation et d'Aélis. Saurait-elle jamais ce qu'il était devenu lui, l'élégant *clubman* de New-York, si plein de force, deux ans auparavant, de son avenir, peut-être même de sa différence avec les autres créatures moins privilégiées,—et, maintenant... maintenant, guenille de chair et d'os, bonne à pourrir au fond de ce ruisseau du pôle! Qu'est-ce qu'elle ferait, elle?... Ah! il y avait de l'or dedans... ou bien du mica... Mica ou or, ça lui était égal, à présent... Et Aélis elle-même, pouvait-elle l'empêcher de mourir là?... car c'était la fin...

Une ombre, qu'on eût dit celle d'un jeune arbre en marche, passa devant ses yeux d'halluciné. Était-ce vraiment un orignal à gigantesques andouillers qui, debout devant lui, frappait le sol du pied et ronflait un défi à l'homme à terre? Tout n'était donc pas mort ici-bas? Il songea à son revolver, pour faire feu, et, comme un éclair, la pensée de la poudre sur quelques feuilles séchées dans les mains lui traversa le cerveau... Le feu, c'était la résurrection, c'était la vie, c'était le triomphe! Comment n'y avait-il pas pensé! «En vérité, il était un rude coureur des bois, prêt à se laisser mourir parce qu'il était simplement égaré sans provisions au Yukon!»

Il fit un mouvement pour se redresser, et, quoique ses membres fussent à peu près ankylosés, l'orignal prit peur et disparut... Peut-être aussi se sauvait-il devant un loup blanc qui, survenant à l'improviste, sauta par-dessus Tildenn, jappa une fois, revint sur lui, et se mit à lui lécher le visage d'une langue si brûlante qu'il en fut tout réchauffé... Avait-il le délire, était-il fou ou mort, et dans un autre monde? Il se souleva sur un coude, regarda autour de lui, et aperçut six autres loups gris assis en rond, qui hurlaient en fixant sur lui leurs yeux de braise. Par un dernier effort, il réussit à se lever et reconnut enfin, dans l'étrange animal qui le caressait toujours, le déserteur de l'an passé, le chien du Labrador, le roquet jaune devenu blanc au pays des neiges et des hivers perpétuels.

Alors, secoué des pieds à la tête par le sang qui revenait à torrent vers son cœur, il cria:

—Caton! mon bon petit! tu me ramèneras au Boulder!

X

UN NOËL AU KLONDIKE

Caton, en effet, sauva la vie à Tildenn. Lorsque Pat l'aperçut, il tomba à genoux et ouvrit les bras: l'enfant prodigue s'y précipita, et l'Irlandais, invoquant à voix haute sa femme, son chien et saint Patrick, les unit dans une fervente action de grâces qui se termina par une embrassade en règle, sur les lèvres, le museau, les oreilles et le front. Caresses d'homme, lèchements d'animal, il y avait, à les voir, de quoi attendrir les cœurs les plus durs en ce pays barbare.

Il y eut pourtant un nuage dans ce ciel bleu. Caton avait trouvé une compagne au désert, et elle avait une mine des plus douteuses. C'était une grande chienne revêche d'Esquimau, à rein court et à œil sournois, qui gronda lorsque Pat voulut lier connaissance avec elle et finit par lui déchirer son pantalon d'un coup de dents. Indigné, Caton la rappela à l'ordre; alors elle lui sauta à la gorge, le roula à terre, le marqua d'un joli croissant rouge de morsure et s'en alla bouder sur une colline avoisinante. La queue très basse, son mari vint se faire soigner par l'ex-*policeman*, qui avait bonne envie de prendre sa carabine. Mais il s'aperçut vite que le roquet du Labrador avait, loin de la civilisation, perdu toute dignité, puisqu'un moment après il portait quelques rogatons à la mauvaise bête. Et puis, il y avait les fruits de cette imprudente union, cinq jeunes métis gris sale, qui, moins sauvages, faisaient diligemment la navette entre l'isba du 7 et le trou de leur mère. Pat se résigna donc à les nourrir ainsi, de loin, pour ne pas perdre Caton, et, pendant les premiers soirs, ce fut autour du poêle rouge un inépuisable sujet de conversation. La mère fut nommée Kilippa, qui, en *chilkoot*, signifie «chien de Jean de Nivelle».

Chien jaune déteint, chienne blanche ou petits grisâtres, l'un d'entre eux fut assurément une mascotte pour le 7 du Boulder. Car, ce fut huit semaines après leur survenance, que Tildenn vit briller une lueur dans l'éternel plat quotidien, le «pan» d'essai où, depuis deux cents jours, ils ne trouvaient jamais rien. Avec une extrême attention, il se mit à faire tourner, puis déborder l'eau qui emportait la boue, et bientôt il revit la lueur, il put même la séparer du sable noir: c'était une pellicule d'or grosse comme une tête d'épingle.

Enfin! enfin!... Le cœur lui battait si fort qu'il posa le trésor à terre, joignit les mains et s'écria:

—Mon Dieu! je vous remercie!

Puis il courut prévenir ses camarades au fond du puits. Ils remontèrent bien vite; on mit le plat à chauffer sur le poêle: l'eau s'en évapora, et l'atome jaune fut déposé sur une feuille de papier. Les quatre hommes l'entouraient à genoux, pour mieux voir, retenant leur souffle, crainte de le faire envoler, et leur adoration des premières minutes ne fut pas moins fervente que celle des rois mages, autrefois, devant le berceau du Sauveur.—Autrefois, il y avait Lui, qui était la pauvreté, la misère ici-bas, et le paradis après la mort; et c'était l'Or, maintenant, le paradis avant la mort!

Sur le Boulder, le ravissement des quatre maniaques fut tel, d'abord, qu'ils se trouvèrent incapables de balbutier autre chose que: «Ah! que c'est beau! que c'est beau!...» Enfin, quand l'extase fut un peu moins forte, quand, après avoir tourné, retourné et soupesé la pépite magique, ils l'eurent pliée dans un papier avec la date: «15 décembre 1898», le sang et la pensée recommencèrent à circuler, et Robert de Saint-Ours, né dans un pays de soleil, cria tout à coup:

—Je m'achèterai un château sur les bords de la Méditerranée!

Tildenn lui coupa la parole:

—Moi, j'irai vous voir avec ma femme, à travers l'Atlantique, sur mon yacht!

Et Mac Donald, à son tour:

—Vous viendrez me voir aussi! Je veux construire une résidence de lord qui étonnera tous ceux de Perth: «Est-ce possible! diront-ils. C'est ce petit Mac Donald qui est revenu d'Amérique?...» Et bientôt, je serai un grand homme dans le comté!

Pat, lui, ne dit rien: il avait coupé une tranche de lard, et, Caton l'aidant, il la dévorait avec entrain. Il pensait, sans pouvoir le crier comme il l'aurait voulu, parce qu'il avait la bouche pleine:

— Moi, Patrick O'Hara, *gentleman*, je commencerai par faire un bon dîner... Vive Dieu! je savais bien que ma prière nous sauverait. Hein, Caton!

Caton jappa gaiement; Kilippa glapit au dehors; les enfants y joignirent leurs gosiers, qui possédaient toute l'échelle des gammes connues aux petits chiens, et ce morceau de ciel désolé, au-dessus du Boulder, contempla enfin douze êtres absolument heureux, hommes dont le cerveau, chiens dont l'estomac n'avaient plus faim.

Une semaine se passa. Fait incroyable et qui restera dans les annales du Boulder, les mineurs ne purent retrouver une autre pellicule du précieux métal: le grain d'or était unique, au fonds du puits, comme si un mauvais plaisant l'eût semé là aux jours des créations primitives. Lorsqu'ils eurent traversé le lit de roches, il fallut bien se rendre à la dure évidence. Les beaux châteaux au soleil de Provence, les yachts somptueux des côtes de New-York, les vieilles résidences de la Grande-Bretagne, toute la prodigieuse évocation du microbe doré s'écroula pitoyablement, fit crier en dedans ces hommes qui avaient pourtant appris à souffrir. Mais la réaction fut horrible.

Ils étaient là tous les quatre, serrés autour d'un de ces poêles qui emprisonnent le feu et lui enlèvent toute gaieté, sous leur toit de terre, qu'ils touchaient de la tête; au dehors s'ouvrait la bouche noire de leur puits, la tombe qu'ils avaient creusée, fosse de leur jeunesse et de leurs espérances;—et avec quel travail obstiné de chaque jour, les mains saignant au froid, les lèvres brûlées par le gel, les yeux perdus de fumée ou de gaz méphitiques!... Sans doute, sous ces cieux implacables du grand nord, il y en avait des centaines d'autres comme eux, et les mêmes malédictions s'élevaient d'un peu partout contre ce Klondike de mensonge. Mais cette pensée ne diminuait aucunement leur souffrance: ils se rappelaient ce qu'ils avaient abandonné pour y venir, au pays de l'or, et surtout, une idée fixe torturait leurs cerveaux malades:

«D'autres ont réussi; pourquoi *pas nous?*»

Une affreuse odeur de sueur humaine remplissait la tanière où séchaient les chaussettes, relent de gueux et de vermine, en ce coin du monde où les sens n'ont été donnés à l'homme que pour mieux souffrir. Personne ne fumait, une chandelle éclairait misérablement ces visages fermés, ces bouches muettes ou contractées, d'où sortait de temps à autre, très bas, un juron ou une prière.

—Mon Dieu! — *God!... My God!...* — *Damnation!*

Subitement, quelqu'un ouvrit la porte. Une bouffée d'air éteignit la chandelle, fit monter les flammes jusque dans le tuyau: la forme opulente d'Oppenheim se dessina sur le seuil:

Holà! *boys!* est-ce que vous dormez déjà?... Y a-t-il ici une petite pipe de tabac pour un pauvre homme?

Pat ralluma la chandelle. Oppenheim reconnut son monde, fit un geste de contrariété et recula jusqu'à la porte:

—Tiens! c'est encore vous autres!... Décidément, nous nous rencontrons partout!... Mais quelle drôle de veillée de Noël vous faites! Moi, je vais la célébrer à Dawson.

Surpris, Mac Donald ne put s'empêcher de dire:

—Vraiment, c'est Noël demain?

—Vous ne le saviez pas! Ah çà! comment vivez-vous ici?

Et puis, comme chacun le regardait avec des yeux mauvais, et qu'il se doutait bien de ce qui se passait, pour se venger, — car il était très rancunier, sans en avoir l'air — debout sur son traîneau, il cria:

—Votre 24 nous a porté bonheur, petit! Nous venons d'y laver un plat de mille dollars!... À peu près ce que vous l'avez vendu, n'est-ce pas?... Quand vous en aurez d'autres à vendre comme ça, ne vous gênez pas. Vous savez où je reste... Allons, hop, les chiens!

La nuit était si calme, il gelait si fort qu'on entendit sonner les grelots de ses malamutes jusqu'à ce qu'il fût arrivé au Bonanza. Mac Donald, surtout, les écouta comme un somnambule, rouge et pâle tour à tour, ouvrant la bouche, la refermant, jusqu'à ce qu'enfin il se décida à parler.

—Est-ce Dieu possible?

—C'est un mensonge, Mac! dit Tom. Cet homme est pire qu'une brute. Je ne sais pourquoi je ne lui ai pas fermé sa bouche menteuse.

Son poing s'abattit sur la table, fit tressauter les plats de tôle. Saint-Ours jura et bourra une pipe. L'Écossais prit une lettre au fond de sa poche et se détourna pour la lire. À en juger par son apparence, elle avait dû l'être, ainsi relue au moins dix mille fois. Au bout d'un quart d'heure, il revint à Tildenn:

—Ils vont sortir des millions du 24, vous verrez!

L'autre ne répondit rien; et Mac Donald reprit après un silence:

—Vous souvenez-vous des *Blue bells of Scotland* à *l'Alaska Company*?

—Non... c'est-à-dire... vous voulez parler du graphophone?

—Tout juste! dit le petit Écossais.

Et ce disant, il eut un soupir, puis se leva:

—J'ai besoin de prendre l'air. Je m'en vais chercher deux seaux de gravier que j'ai laissés au fond du trou; sinon ils seront durs comme du fer demain...

—Quelle mouche vous pique? dit Pat. Laissez-les où ils sont, et que le diable les emporte avec le puits!... Pour ce qu'il y a de paye dedans!... Voyons, tout le monde ici, nous ferions mieux de nous secouer et de boire à la santé du petit Noël.

—Non, j'irai d'abord les prendre... Robert, venez m'aider à les hisser.

—Moi, je trouve aussi que c'est absolument inutile.

—Ce sera vite fait: après, nous passerons la soirée comme vous l'entendrez.

—Quel entêté!... Vous avez d'étranges lubies... Enfin, si cela vous fait plaisir!... Venez et dépêchons.

—Allons! dit Pat.

La neige craqua, sonore, sous leurs pas; au long de l'étroite vallée, quelques puits fumaient, et leurs vapeurs montaient droites vers le ciel—où l'on eût aimé à s'envoler, tant il brillait d'un extraordinaire éclat!... En mettant le pied sur le premier échelon, pour descendre dans le trou, Mac Donald s'arrêta, une seconde, pour le regarder; puis, il rabâcha encore une fois:

—Ils trouveront des millions!... Comme dans celui de Whipple!

Et il s'enfonça sous terre. À moitié profondeur, il cria à Robert et à Pat:

—Quand je crierai: «Tirez!» hissez ferme. Je mettrai double charge pour aller plus vite... Vous avez froid? Moi aussi. Mais ça passe, ça passera...

Cinq minutes s'écoulèrent. Pat, impatienté, se pencha sur le trou:

—Eh bien, en bas, ça y est-il? On gèle!

Une voix arriva de très loin, à moitié étouffée:

—Oui!... Ohé, hisse!

Les deux hommes se mirent à manœuvrer le tourniquet autour duquel s'enroulait le câble ascenseur:

—Il aurait dû accrocher les baquets l'un après l'autre, dit l'Irlandais. C'est diablement lourd... Prenez garde à ce que vous faites, Robert; appuyez sur...

Il n'acheva pas: à la pâle lueur des nuits de six mois, il aperçut sur le visage de son ami quelque chose qui lui fit peur et, malgré lui, le força de regarder dans la même direction. Aussitôt, il jeta un grand cri, lâcha sa manivelle et se sauva vers la cabane. Il n'y avait pas de cran d'arrêt, et la corde commença à se dérouler malgré les efforts désespérés du Français.

—Pat! Pat O'Hara!... Au secours, au nom du ciel!

Pat fuyait toujours. Ce fut Tildenn qui accourut à sa place:

—Qu'est-ce qui se passe par ici? Oh!...

Lui aussi venait d'apercevoir ce qui pendait au bout du câble, ce qu'il se mit à hisser hors du puits avec Robert. Quand il fallut desserrer le nœud coulant que Mac Donald avait glissé autour de son cou avant de crier: «Ohé, hisse!» il fut pris d'un tel tremblement nerveux qu'il dut se rouler dans la neige pour redevenir maître de lui. Tout ce qu'ils essayèrent, du reste, pour ramener le petit Écossais à la vie fut inutile: probablement, Pat, en lâchant brusquement le tourniquet, avait hâté sa mort. La bouche convulsée, une terrible expression d'angoisse sur les traits, il gisait là, à la renverse, le mineur de vingt ans, enfin délivré de la misérable existence animale du Yukon. Peut-être qu'en prêtant bien l'oreille on l'eût entendu murmurer une dernière fois: «J'étais trop faible... j'ai été vaincu. Il ne faut pas venir ici... il ne faut pas...»

O'Hara n'était pas dans la cabane: quand les deux vivants se virent seuls avec ce mort que la suffocation avait hideusement défiguré, ils prirent peur de la grande Inconnue. Tacitement, ils eurent la même pensée:

«Allons-nous-en comme Pat!»

Robert siffla les chiens pour les atteler au traîneau; Tildenn versa un peu d'eau tiède sur les lisses d'acier: tout de suite elle gela, formant un long patin de glace qui allait glisser merveilleusement vite sur la neige durcie. Quand tout fut prêt, ils sautèrent dessus, l'un derrière l'autre, et le Français commanda: «Marche!...» Caton, en tête, partit à fond de train, les autres le suivant à la queu-leu-leu, avec des bonds désordonnés quand le froid les pinçait trop fort. De temps à autre, Robert disait: «Arrête!» et son compagnon criait: «Pat!... Ohé, Pat!... Où êtes-vous?» Mais rien ne répondait à travers la nuit, et l'attelage recommençait sa course furieuse comme si, par derrière, dans le rejaillissement de la neige coupée, une tête aux yeux, à la bouche ouverts, les eût poursuivis sans répondre, mais sans les quitter:—car c'était Noël, le Noël du Klondike qu'ils s'en allaient tous fêter à Dawson, les deux vivants et le mort, à trois mille lieues des Christmas d'Écosse...

Sitôt en ville, ils s'en allèrent au restaurant d'Oppenheim. Une centaine de mineurs s'y étaient entassés, fumant, buvant, crachant à qui mieux mieux sur le sol recouvert d'une épaisse couche de sciure de bois. Des buées se dégageaient de leurs lourds vêtements, de leurs longues figures vertes, qui semblaient se dégeler peu à peu contre les grilles des poêles chauffés à blanc; et, aussitôt, ils se mettaient à tousser du fond de la poitrine, comme s'ils eussent été près de cracher leurs poumons. Surtout les Américains et les Australiens: les Canadiens, eux, grandis, élargis dans le nord, semblaient les narguer de leurs énormes poitrines, et leurs voix de basse résonnaient dans la salle, cependant qu'ils se rabâchaient les exploits ou la bonne fortune de Juneau, de Boucher, de Cazelais, Picotte ou Leduc.

Tout de suite, en entrant, Tildenn ressentit une impression de bien-être: vraiment, en toute autre circonstance, cette course vertigineuse entre le Boulder et Dawson, sous les étoiles qui descendent vous parler par les nuits très froides, cette fantastique glissade eût été merveilleuse; et voici maintenant que l'on se réchauffait dans la société des vivants... Tom avala un verre de wisky et interpella son voisin; c'était justement le propriétaire du 25 sur le Bonanza:

—Tiens, c'est vous, David!... Tous mes compliments! il paraît qu'on a découvert, sur le 24, l'ancien *claim* de... (il hésita) de Mac Donald, une veine aussi riche que celle de l'Eldorado. Vous la retrouverez, sans doute, sur votre terrain!

—Il faut venir à Dawson pour apprendre du nouveau!—dit flegmatiquement le mineur.—C'est la première fois que j'en entends parler. Qui vous a raconté cette calembredaine?

—Qui? Oppenheim lui-même!

—Ah! ah! je m'en doutais... Bien entendu, vous l'avez cru. Quel *ti-cha-kô* vous êtes resté!... Le 24 n'est pas plus riche qu'autrefois, sauf dans l'imagination de son propriétaire. Sans doute, il voulait vous le vendre!

—Oui!—fit alors Robert, les dents si serrées que l'autre ne le comprit pas.—Il y a même quelqu'un qui le paiera cher, très cher...

Il venait de demander où était le restaurateur. Oppenheim était allé, paraît-il, à sa glacière des bords du fleuve. Les deux amis échangèrent quelques mots à voix basse:

—Oppenheim a tué Mac Donald.

—C'est évident.

—Par conséquent...

—Oui. Sortons.

Personne ne remarqua leur départ dans le vacarme qui allait toujours grandissant. Une fois dehors, sans prendre même le loisir de relever leurs collets de fourrure, car une fièvre les brûlait par tout le corps, ils suivirent les traces de celui qu'ils cherchaient. Deux cents mètres au plus séparaient l'«Eldorado» du rivage où se trouvait la réserve de glace du mastroquet.

Chaque hiver, par une étrangeté de la nature qu'on attribue à quelque source d'eau chaude souterraine, le Yukon ne gèle que très tard devant Dawson. Cette année-là comme les autres, il y avait encore une fissure, longue de plusieurs lieues, où le courant fumait en entraînant des glaçons énormes: ils s'entrechoquaient, puis s'escaladaient les uns les autres, et leur écrasement, parfois, couvrait de son bruit les rumeurs de la ville.

Oppenheim sortait de sa glacière, quand une main le frappa sur l'épaule. Il eut un sursaut, se retourna, reconnut les deux inséparables:

—Diable! vous m'avez presque fait peur avec vos tapes de revenant, dans le dos!... Comme ça... vous vous êtes décidés à venir à Dawson? Vous avez eu raison! Nous allons en danser, une nuit de Noël!

—Oppenheim, dit Tom, je viens de rencontrer David, du 25... Quand avez-vous trouvé mille dollars au plat sur le 24?

L'Allemand ne comprit pas la question. Il ne se rappelait plus rien. Il fallut lui rafraîchir la mémoire; un gros rire, alors, le secoua de la tête aux pieds:

—Oh! la la! J'y suis, maintenant!... Vous l'avez gobée, pas vrai?... C'était une blague, comme vous dites en France. Et elle était bien bonne!... La petite fille y a mordu? Je l'aurais parié... Ah! qu'il est bête, ce Mac Donald!

—La petite fille est morte, dit Robert. Votre blague l'a tuée.

—Comment ça, monsieur, s'il vous plaît?

—Il vous a cru et s'est pendu, monsieur.

—Pas possible!... Eh bien, monsieur, ça prouve simplement qu'il était encore plus lâche qu'imbécile!... Petite perte, au surplus. Ce pays n'est pas fait pour les anémiés d'aucune espèce... Bah! les *boys* vont s'esclaffer!

Quoiqu'il eût bu, son hilarité, à lui, fut de courte durée, car les autres le regardaient, le regardaient comme quand une idée fixe vous sort de la tête par les yeux. Il comprit, il eut peur, il recula et Robert lui sauta dessus. Oppenheim fit un faux pas et tomba, les deux poignets saisis par les mains crispées de son adversaire. Tildenn mit un genou sur la tête du misérable, tira un revolver, et l'approcha de son oreille. Il se mit à hurler si fort qu'on eût cru que sa voix allait percer le fracas du fleuve. Alors, Robert montra du menton une embarcation posée sur le toit de la glacière et cria:

—Ne tirez pas!... Là dedans!... Laissons faire le Yukon.

Tildenn rengaina son arme, prit le canot qui était en écorce, et le mit à l'eau, après l'avoir amarré à un glaçon. Tous deux, ensuite, y poussèrent Oppenheim, sans même lui lier les mains. À quoi bon? Chose inexplicable, il ne résistait plus; il tremblait comme un enfant. L'embarcation dansait follement au milieu de la noirceur, où apparaissaient, où disparaissaient des choses blanches qui se mouvaient très vite, entre deux bords dentelés mieux qu'une scie. Robert prit l'amarre, et regarda devant lui: il aperçut une bouche ouverte qui ne criait rien, sans doute, puisqu'on n'entendait plus que le broiement des glaces, une bouche aussi convulsée que celle de... oh, Dieu!... et il ouvrit la main. Deux fois le canot pirouetta sur lui-même; puis un glaçon le souleva, le jeta de côté, et, subitement, il se fondit dans le chaos...

Et la grande clameur des nuits de gel, où les serpents de glace, au long des vallées, revêtent leur dure carapace, la plainte du Nord continua, du sommet du Chilkoot aux abîmes de Behring, grincements et pleurs de damnés dans les ténèbres éternelles.

XI

LA PIPE CASSÉE

Whipple le fou avait «frappé» de l'or sur l'*Irish Gulch*! Non pas de l'or imaginaire, ainsi que la première fois, mais du solide, du tangible, du réel! Pourtant il continuait à en voir partout, sauf là où il en trouvait, avec son inoffensive manie de collectionner les micas plus brillants. Il serait donc facile d'acheter son trou... Naturellement, le *Push*, dont les agents étaient de véritables argus, voulut arriver premier pour profiter d'une aussi bonne aubaine; et ce fut alors qu'il éprouva une amère déception. Juneau, et non pas Whipple, se dressa devant lui, son éternelle pipe aux dents, et, à la main, une procuration tout à fait en règle. Le *Push* se montra beau joueur, fit bonne contenance, complimenta le Canadien et, après une grande dépense d'éloquence, risqua une demande.

Cinq mots lui répondirent:

—C'est vingt-cinq mille dollars.

—Quoi?... Vous avez dit?... Vous n'y pensez pas! On n'a rien trouvé ailleurs, sur ce maudit ruisselet!

—Whipple a cinq dollars au plat. Essayez vous-même.

—Ça ne prouve pas que tout le *claim* soit pareil.

Pas de réponse: des jets de fumée de mauvais tabac et un air de n'y plus penser, très inquiétant. Autant négocier avec un bloc de quartz. Et dire que le fou, maintenant, ne voulait plus rien faire sans lui!

—Allons, nous offrirons quinze mille. Mais c'est un vol!

—C'est trente mille dollars, à présent... Boucher et moi, nous savons ce qu'il y a dedans, si vous ne le savez pas... Est-ce oui, est-ce non? C'est moi, Juneau, qui parle, et je commence à être las de cette affaire!

Chien de Canadien français, tête de mule bonne à enfoncer des clous! Le *Push* eut peur et dit: «Oui».

L'argent fut dûment compté, puis expédié à San-Francisco. Un ami de Boucher emmena Whipple au sud, où une pension viagère devait lui assurer du pain et, dessus, un peu de viande jusqu'à la fin de ses jours... oh!... oh!... oh!...

Quand il partit, toute la vieille garde du Yukon vint lui faire ses adieux; mais personne, pas même lui, ne savait qu'une nuit, deux hommes et un traîneau attelé de quinze chiens s'étaient arrêtés près de son puits, juste le temps de vider là dedans quelques sacs du 16. Le *Push*, cependant, remit à plus tard l'exploitation, qui devait lui causer une nouvelle surprise.

Bien des cœurs endurcis de vieux prospecteurs s'étaient senti remuer au départ de Whipple vers le pays du soleil, vers Los Angeles.—Los Angeles, joyau de la Californie, que viennent parfumer toutes les brises d'Orient, jardin délicieux où le soir, sous les orangers fleuris, les anges, vos parrains, viennent chuchoter doucement, c'est à vous qu'ils rêvaient tous à Dawson, sur le Bonanza, sur le Hunker, sur l'Eldorado, partout où ils grattaient la glace pour y trouver de l'or... Un oiseau qui chante, un enfant qui rit, deux yeux tendres de femme qui aime, des fruits d'or au soleil qui brille, qui chauffe, qui ressuscite les morts, ah! que n'auraient-ils pas donné, les mineurs du Klondike, pour contempler ces merveilles, ne fût-ce que l'espace d'une journée!

Juneau finit par s'en ouvrir à son camarade, Juneau lui-même, dont les côtes d'Alaska redisent encore l'aventureuse vie de pionnier polaire. Boucher lui tint aussitôt de longs discours, ce qui, chez lui, dénotait une réelle inquiétude, et conclut:

—Tu ne seras pas si heureux que tu crois, au sud. Va-t'en faire un bon dîner à Dawson et reviens me dire ensuite si ces festins-là valent nos repas sur le pouce, avec le lard et les haricots d'autrefois.

—Je crois bien que tu as raison, dit Juneau. Mais il y a autre chose... comme qui dirait une voix qui se lève en moi, surtout le dimanche, et qui dit: «Jean-Baptiste, tu as eu du bon et du mauvais temps, et ta vie commence à s'en aller. Que fais-tu par icite? Veux-tu être enterré dans un pays païen où il n'y aura pas de messes pour toi?...»

Et puis, pour la première fois, il lui parla d'une crainte extraordinaire:

—Tu sais qu'icite, le corps gèle sous terre au lieu de pourrir: je ne veux pas ça, moi... Je veux ressusciter avec un corps comme quand j'ai quitté Saint-Paul-l'Ermite, à vingt ans, et pas avec celui d'à présent!

Boucher se tut: lui aussi connaissait des voix pareilles et, peut-être, ces horribles appréhensions. Mais son *claim* était si riche! L'auriez-vous quitté, à sa place?... Quand il vit son ami absolument décidé à «sortir» du Yukon, il voulut lui rendre un dernier service. Ce fut donc lui qui se chargea de la transaction financière avec le représentant d'une société minière de New-York. Elle avait déjà fait des offres pour le 23: un jour vint où elle remit au vieux trappeur, en règlement final, soixante-quinze mille dollars.

Quand Juneau eut palpé le papier soyeux des banknotes, quand il les entendit froufrouter sur ses genoux, quand il les vit enfin reluire de leur éclat bleu tout neuf: «*Yukon territory, $1000,00*», et qu'il en eût compté soixante-quinze, le sang monta à ses pommettes, ses mains se mirent à trembler; la pipe manitou qu'elles tenaient tomba à terre, et le bois trop sec, trop vieux aussi, se fendit, rayant par le milieu la célèbre inscription: «C'est moüe qui suis Juneau».

Quelques larmes coulèrent au creux des rides du trappeur. Surpris, l'acheteur demanda:

—Qu'avez-vous?... Êtes-vous indisposé?... Regrettez-vous le marché? Je vous assure que vous n'y perdez pas!

—Ce n'est pas ça,—dit le vieux, pleurant tout à fait;—vous ne pouvez pas guérir ma maladie. J'ai soixante-treize ans et voilà soixante-quinze mille dollars. Pour les avoir, j'ai plus peiné que dix hommes pendant trois fois vingt-cinq ans. Est-ce pas vrai, Boucher?

Boucher baissa la tête, peut-être pour qu'on ne vît pas ses yeux à lui, et Juneau reprit:

—Celui qui n'a jamais eu de misère ne sait pas... Et maintenant que j'ai enfin ce après quoi j'ai couru si longtemps, il va me falloir songer à mourir... C'était si facile autrefois, c'est si dur à présent!... Ah! monsieur, monsieur, pour vivre encore longtemps, bien longtemps, dites-moi ce qu'il faut faire, si vous le savez!

XII

BIGAMIE

Nos amis du Boulder ne s'inquiétaient plus de leur pain quotidien, depuis le jour où ils avaient enfin «frappé» la veine aurifère. Ce fut à la fin de l'hiver, dans le quatrième puits, au ras de la montagne, qu'ils firent cette trouvaille, précisément à l'heure où ils avaient décidé d'abandonner leur *claim*. Quand Robert eut lavé l'écuelle où il trouva dix francs, lorsqu'il se fut convaincu que ce n'était pas un accident comme la première fois, il s'en alla trouver Tildenn, dans un tunnel latéral, et lui dit:

—Ce coup-ci, nous tenons la veine! Regardez les pépites: il n'y a pas à s'y tromper.

—C'est vrai, fit Tom. Enfin! Ce n'était pas trop tôt, justes dieux!

Il lança son pic dans un coin, s'accroupit sur un tas de débris et se mit à siffloter. Piquée sur un bout de fer dans le mur, sa chandelle éclairait si mal que Robert se pencha pour le mieux voir:

—Ça ne vous fait pas plus plaisir que ça!

—Mais si, mais si... Quelle chance!

—À quoi pensez-vous, Tildenn?

—Et vous?

—Moi? Au petit...

Tom ne répondit rien: son camarade, le récipient à la main, se mit à remonter l'échelle.

Arrivé au milieu, Robert flanqua le plat contre la paroi, en jurant. Les paillettes d'or redescendirent à l'obscurité d'où elles sortaient et les impassibles murailles continuèrent à s'égoutter, murmures d'eaux frissonnant dans les flaques d'en bas: «Voilà... voilà le bonheur de la vie!»

Il en fut tout autrement avec Pat O'Hara. Cet homme bien portant débuta par une gigue qui eût fait sensation aux foires de Dublin. Suivit une culbute qu'il décora du nom de saut périlleux, puis une visite à chacun des voisins du Boulder. Les distances à franchir compensaient largement le petit nombre de cabanes à voir: ayant oublié que c'était à lui, ce jour-là, de faire la cuisine, il fut très surpris de trouver ses deux associés, à son retour, de fort méchante humeur. Mais le wisky qu'il avait bu un peu partout l'avait rendu plein de bonne volonté: il se hâta de faire griller une couenne de lard à même la poêle, l'entoura de pommes de terre calcinées et servit chaud à minuit sonnant.

Il ne faut pas oublier que la notion du temps se perd vite au pays des jours ou des nuits perpétuelles, et que les gens dorment, mangent et meurent (en Europe, il est décent de ne mourir que la nuit), à n'importe quelle section du cadran. Ce bouleversement physiologique a, bien entendu, son contre-coup spirituel: même à cette heure où la civilisation a inondé le Klondike, les prêtres, les popes et les pasteurs qui s'arrachent l'âme des mineurs n'ont pas encore pu leur apprendre à distinguer le dimanche des autres jours. Pourtant ils n'auraient qu'à leur offrir ce jour-là, un *square meal*, de bonnes agapes solides et temporelles, après un très court prêche ou sermon...

Le lendemain de la trouvaille, c'était au tour de Robert à cuisiner. Pat, qui était évidemment né coiffé, fit rouler sous son pic plusieurs grosses pépites. Tildenn et le Français, ressaisis par la fièvre de l'or, accoururent l'aider: la précieuse récolte en fut doublée; mais, à midi, il fallut se contenter de haricots froids, bouillis six jours auparavant, et qui commençaient à fermenter. Deux ou trois aventures analogues firent se révolter les estomacs; au bout d'une semaine ils protestèrent carrément:

«Cet empoisonnement ne peut pas durer plus longtemps... Puisque vous êtes riches, payez-vous une cuisinière!»

Une cuisinière! luxe inouï que chaque mineur évoque trois fois par jour, quand il rentre brisé de fatigue à son gîte pour préparer sa pitance. Une cuisinière! les mâchoires en claquaient d'aise à l'avance.

—Seulement, ajouta Robert, il faudra nous contenter d'une Indienne, puisqu'il n'y a pas de blanche qui veuille de ce métier-là en dehors de la ville!

—Beaucoup de vieux Canadiens en ont; mais il en font leurs femmes: il paraît qu'elles ne consentent à travailler qu'à cette condition, plus cent dollars au père... Elles aiment le blanc.

—Elles ne sentent pas bon: elles suent l'huile des saumons fumés qu'elles mangent.

—Comment diable le savez-vous, Pat?

O'Hara, qui était discret, se tut. Tildenn, homme d'action avant tout, reprit:

—Quoi qu'il en soit, on arrive à leur apprendre la cuisine: c'est l'essentiel; le reste ne signifie rien... Pat, mon bon, vous qui semblez les apprécier, pourquoi n'en épouseriez-vous pas une?

—Pourquoi moi plutôt que vous ou Robert? Je suis déjà marié.

Le désert de sable ou de glace est la véritable école d'égalité: les mensonges qui déguisent le corps ou l'esprit y tombent vite en haillons, et l'on se trouve face à face avec autrui, tous les deux aussi nus qu'au sortir du sein maternel. Tom s'en aperçut à ses dépens et dit:

—Eh bien, il ne nous reste plus qu'à tirer au sort. Qu'en dites-vous? Le plus haut point gagne la femme.

O'Hara prit sur une planche un jeu de cartes, si gras qu'on en distinguait à peine les figures: chacun en retira une carte. Tildenn eut un dix de trèfle, Robert un valet et l'ex-*policeman* un roi.

—C'est vous, Pat!... décidément, le sort nous donne raison.

—J'ai une épouse, répliqua de nouveau cet homme obstiné. Est-ce que vous voudriez faire de moi un bigame?

—Fi! le vilain mot! il n'y a pas de bigamie en Alaska: il y a des mariages morganatiques. C'est très bien vu, Pat. L'élite seule de la société s'en offre.

—Et puis, si vous êtes de mauvaise humeur, comme à présent, vous la battrez au lieu de l'embrasser; il n'y a rien qui détende autant les nerfs, surtout quand elles se défendent.

Pat proféra un juron qui pèsera lourd contre lui au dernier jour; ensuite il prit son bonnet de fourrure:

—Donnez-moi l'argent! je descends au village indien en dessous de Dawson... Mais, si vous le racontez jamais quand nous serons revenus aux États, vous me le paierez...

—Tout ce que vous voudrez!... Soyez tranquille, nous n'en soufflerons mot à âme qui vive. Allez: déjà nous avons une faim de loup!

O'Hara disparut. On ne sut jamais ce qui se passa audit campement siwash; seulement, le surlendemain matin, assez tard, il arriva au Boulder avec une vilaine bosse noire au-dessus de l'œil gauche.

—C'est une blanche, dit-il, qui m'a frappé... J'en ai trouvé une: elle sera ici ce soir. Après tout, il y a du bon chez ces créatures-là. Elle n'est pas laide, et son père m'a dit qu'elle savait faire le «bis-quoui». Ils parlent tous *chinook*, dans cette famille, mais la demande est si considérable que le chef ne peut y suffire, quoiqu'il ait eu treize filles et en attende d'autres. «Moi... bon *clouch-man*», répète-t-il à chaque instant. Il paraît que ça veut dire «bon homme à *squaws*». Je lui ai donné cinquante dollars à compte.

—Quoi! avant livraison!

—Livraison de quoi?

—De votre femme, parbleu!

L'Irlandais toussa pour s'éclaircir la voix.

—Il n'y a rien à craindre... car... il est de fait que la petite m'aime. Voilà. Y a pas de ma faute.

Ses deux camarades se précipitèrent au dehors sous le prétexte d'aller chercher du bois. Ils ne pouvaient plus contenir une irrésistible explosion de rire. Quoi! Pat bigame, et déjà amoureux! et sans le moindre remords! Ô corruption adamique!

Il fallut bientôt changer de sujet. Pat vint les rejoindre dans la forêt, où ils se mirent à faire provision de branches mortes. Vers cinq heures et demie, Robert s'en retourna le premier, avec une charge complète sur son traîneau. Il remarqua, en s'approchant, Caton qui aboyait, à côté de Kilippa; son poil se dressait sur son dos, comme si le roquet eût éventé des loups. Il l'appela:

—Caton! Viens, mon petit!

«Mon petit» se sauva un peu plus loin, la queue entre les jambes. Au même instant, deux mains solides serrèrent le cou du Français, deux lèvres charnues s'appliquèrent sur les siennes, tandis qu'une effroyable odeur de poisson pourri lui montait à la tête... Et il entendit des mots entrecoupés:

—Mon gâasson! Mon ché gâasson!

C'était elle, la femme n° 2 de Pat O'Hara, et effroyable, et vieille, et civilisée, elle, une Tagish, à en juger par son baiser sur la bouche et son mauvais canadien de sauvagesse!... L'infortuné Robert défaillit une seconde, appela à son aide tous les saints du paradis, glissa entre les bras qui l'enlaçaient, et, hors d'haleine, se réfugia sur la colline, à côté de Caton.

—Pas moi! moi pas!... moi mauvais homme, très pas bon... Lui venir bientôt... là-bas...

Cependant la Tagish, pour mieux saisir sa pantomime, semblait vouloir se rapprocher. Et nul jarret, pas même celui des orignals, ne vaut celui des filles d'Alaska. Mais Tildenn apparut à l'horizon, tirant un autre traîneau, que poussait, par derrière, la victime expiatoire.

Lorsque la *squaw* reconnut son aimé, elle partit dans sa direction, comme une flèche. Tom qui la vit venir, ne perdit pas la tête; il lâcha sa corde, tourna autour de la charge, et poussa l'Irlandais en avant:

—Pat, c'est votre femme, je pense!

Pat hésitait: Tildenn, alors, le désigna du doigt à la sauvagesse, et elle lui sauta au cou.

—Le voilà, lui, oui, lui! C'est ça, embrassez-vous, et puis faites-nous la cuisine... Holà! Robert, Caton! qu'est-ce que vous faites là-haut!

Un cri d'angoisse l'interrompit, presque celui d'un misérable qui se noie:

—C'est pas celle que j'ai choisie!... Il me semblait bien... Ça, c'est la femme du vieux... l'autre était toute jeunette... Oh! monsieur,

monsieur (dans sa détresse, il se reprenait aux différences de caste), au secours! venez me délivrer! Aurez-vous le cœur de...

«Monsieur» se sauvait; «monsieur» cria brutalement:

—Ça n'a pas d'importance. Pat... Ne faites pas tant de bruit et allez-y gaiement! Montrez-lui le poêle...

Quoique vieille, elle était évidemment rompue aux exercices athlétiques. Elle entraînait O'Hara vers la cabane, avec la force d'un malamute, et elle criait:

—Moi, bonne à tout faire... savante, bon *cook, very, very much.*

—Laissez-la faire, Pat!—cria Robert, du haut de son observatoire.—Tout ira bien, vous verrez: il est déjà sept heures!

Même Caton qui le trahit, puisque au mot de *cook,* il remua la queue:

—*Oua! Oua!...* Vite, faites vite, monsieur Pat!

Et Pat disparut dans l'isba. La lune montait à l'horizon, la lune des amoureux. Sur la colline, Robert et Tildenn attendaient l'apaisement qui succède aux crises de demi-épilepsie.

Mais le temps paraît vite long quand on a les pieds sur la glace et la tête entourée de moustiques. Le silence, en bas, s'était fait absolu. Nos deux amis étaient devenus très sérieux. Enfin, Robert s'écria:

—Qu'est-ce que vous regardez comme ça, Tildenn?

—La cheminée, parbleu! Et vous?

—Moi aussi!... Que diable font-ils là dedans? Voyez-vous de la fumée?

—Non... Ma foi, c'est trop fort. Je n'en puis plus, j'y vais!

Il n'eut pas la peine de descendre. Le vacarme, en bas, recommençait de plus belle. La porte s'ouvrit: l'Irlandais s'élança au dehors, avec un paquet de couvertures sur la tête; la sauvagesse s'y agrippa par derrière. Il se retourna, l'envoya rouler d'une claque en plein visage, et rejoignit ses associés au pas de course.

—Qu'y a-t-il? fit Robert, qui ne riait plus.

—Ce qu'il y a! Cornes de Belzébuth, ce n'est pas une *squaw*, c'est un démon. Elle sait tout: elle a voulu me faire sauter les yeux avec les pouces! et je n'aurais jamais pu m'échapper si elle n'était pas soûle!

—Soûle! Où a-t-elle trouvé du wisky?

Une certaine rougeur embellit le visage de Pat.

—Ce doit être mon flacon d'arnica qu'elle aura bu... C'est pas délicat, cette race-là.

—Mais, enfin, que vous proposez-vous de faire?

—Attendre à demain. Son père viendra chercher le reste de l'argent. Il la re...

—Vous n'y pensez pas! Nous n'avons rien mangé ce soir!

—Moi non plus. Allons-nous-en quelque part. Je ne retourne plus dans la cabane tant qu'elle y sera. J'ai fini de prendre des sauvagesses, moi, oui-da!

Et comme il était très en colère, et que deux bosses pareilles à la première lui avaient nouvellement poussé au front, Tildenn et Robert se turent: au désert plus que partout ailleurs, il faut attendre d'avoir le sang-froid comme glace avant de risquer un reproche, si légitime qu'il puisse être, à ses compagnons d'infortune.

XIII

IDYLLE ARCTIQUE

Ce fut après cette catastrophe que Robert résolut de se sacrifier à son tour pour la communauté.

Un mois auparavant, au retour d'une exploration vers les Montagnes Rocheuses, il avait campé au bivouac d'un chef chilkoot, sur les bords de l'*Indian River*: et ce fut là que, pour la première fois depuis son arrivée en Alaska, il aperçut une de ces jeunes Indiennes comme il y en a tant dans les récits de voyages rédigés à domicile, et si peu, hélas! dans la réalité. Elle appartenait à une autre tribu, celle de ces Thlinkits, pêcheurs du golfe d'Alaska, tellement mieux doués, au physique et au moral, que les naturels de l'intérieur. Sans doute, son large et rond visage rappelait trop encore la face si caractéristique des Aleutes; mais il était illuminé par les plus beaux yeux de tigresse apprivoisée qui se pussent rêver, et quand ils se levaient sur les vôtres, il fallait bien détourner le regard, ou rester hypnotisé. Ses bras, ses jambes, sa poitrine, que le travail n'avait pas encore déformés, et auxquels la nature avait donné sans peine ce que tant d'autres voudraient acheter au prix de n'importe quelle callisthénie, une presque parfaite eurythmie de formes, tout ce corps souple enfin de fille rouge, s'était gravé dans la mémoire du Français. Même, il avait éveillé en lui certains sentiments qu'il avait préféré ne pas analyser, et que ses soucis de prospecteur avaient comme étouffés, quand, un beau jour, le diable les ranima dans sa cervelle, au fond de cette anfractuosité que les savants appellent «niche affective». Subitement, la brune enfant y réapparut avec une précision de formes telle que Robert fut convaincu qu'elle serait la cuisinière idéale. Sans plus tarder, il partit à sa recherche, emportant avec lui les bénédictions de ses camarades.

Quarante-huit heures de marche forcée l'amenèrent au campement du chef. Après une pipe ou deux, fumées dans le mutisme qu'exige l'étiquette sauvage, il tira de sa poche un rouleau de dollars et, un à un, les fit passer d'une main dans l'autre:

—Moi chercher *squaw* pour cuire soupe à moi... Moi donner *hiou dolla* (beaucoup d'argent).

Entre cette phrase et la réponse, un quart d'heure de silence au moins s'écoula, tandis que, doucement, tintaient les écus. Il n'y a que les races civilisées pour parler à tort et à travers, aussi vite que des enfants. D'autre part, il fut tout de suite évident que le vieux Chilkoot, au contact des Yankees, avait perdu sa primordiale innocence. Car sa réponse fut singulièrement perverse:

—Combien?

Robert, pas commerçant, fit une sottise: il fixa un chiffre.

—Cinquante piastres, et puis deux fois vingt-cinq autres encore.

—Je n'en connais pas, dit promptement le chef.

—Donne-moi ta fille Thlinkit.

Justement, elle arrivait, une sorte de vase en bois sur la tête. La belle, l'admirable statue! Le Chilkoot regarda le jeune homme et secoua sa pipe.

—Aïrélouska n'est pas à vendre: elle, très savante, élevée par robes noires d'en bas du fleuve... Elle pour moi, grand chef... Très grand!

—Moi donner cent piastres, et puis encore cent autres.

Tin-tin!... tin-tin...! Le vieux chef ouvrit les yeux et les oreilles, puis remua la tête, pendant que Robert achevait de la perdre.

—Aïrélouska pas vouloir se marier.

—Moi donner deux cent cinquante!

Ce prix est resté légendaire au Yukon. Il dépassait tout ce qu'avait espéré le Chilkoot. Aïrélouska était difficile à placer: elle n'avait pas cette graisse et cet estomac qui prouvent qu'une *squaw* peut résister au travail et se contenter de n'importe quelle nourriture. Cependant le vieux tenta un dernier gain et exprima enfin sa pensée de derrière la tête:

—Avec ta carabine?...

C'était la seule Marlin à six coups du Yukon: un véritable bijou, ne pesant que deux kilos et demi, et dont les balles à pointe de plomb et chemise de nickel s'en allaient néanmoins percer le but à mille mètres. Elle était, cette mignonne carabine, la moitié de l'âme de

Robert. Désespéré, il se leva pour partir; mais Aïrélouska passa de nouveau devant la tente, avec sa fascinatrice démarche d'Ève triomphant à son insu.

—Ma carabine aussi! cria-t-il—et le cœur lui faisait mal;—et j'y joindrai deux cents cartouches sans *puff-puff*(fumée); mais ce sera à une condition, chef: je l'emmènerai tout de suite... tout de suite!

Ainsi devint-il maître et seigneur de la belle enfant. Une heure après, profitant des grosses eaux du printemps, au lieu de couper à travers les montagnes, il l'emmenait vers Dawson dans un canot d'écorce. Ce fut une course furieuse en pleine eau blanche, jaillissant presque sur la feuille de bouleau qui les emportait, elle, la brune fille des bois, lui, le descendant de dix siècles de civilisation, tous les deux seuls,—où donc? vers quelles rives de vie ou de mort? Il ne voulait pas se le demander... Pour mieux oublier l'avenir, qui n'est qu'un gêneur, les deux mains sous la tête, tout entier au délicieux présent, il se renversa en arrière. Il se trouvait ainsi le visage tourné vers l'Indienne, au milieu du Yukon, dont les rives commençaient à prendre le sombre vert des étés intenses et courts. Sur la double ligne de bouleaux, d'épicéas ou de peupliers qui fuyait jusqu'à l'horizon, Aïrélouska se détachait en gracieuse silhouette, le buste penché et relevé tour à tour, et ses jeunes seins bombaient sous le maillot bleu de la Compagnie de la baie d'Hudson. L'effort faisait entr'ouvrir ses lèvres, laissait voir de très petites dents serrées, des grains d'ivoire, tandis qu'elle luttait contre les tourbillons, les remous des îles, les perfides barres de sable mouvant du grand fleuve: et, à chaque coup de pagaie, à chaque flexion de poitrine, la jeune grâce haletante de ses quinze ans troublait davantage le cerveau et le cœur de son maître. La dangereuse, l'inoubliable ivresse des bords d'abîme, il la connut ce jour-là, Robert de Saint-Ours. Et c'est pourquoi, en mettant pied à terre, après cette vertigineuse descente, il saisit Aïrélouska par derrière, lui renversa la tête sur son épaule, s'en alla à ses lèvres comme courent aux sources cachées des bois ceux qui meurent de soif.

L'enfant frémit, ses yeux sauvages se fermèrent, puis se rouvrirent tout remplis de rosée. Et Robert le fou allait les boire, lorsque des cris s'élevèrent derrière eux.

—Hallo, Rob! est-ce bon à embrasser une Siwash? Elle a l'air d'être de votre goût, et, ma foi! elle est passable, la petite... Où diable avez-vous bien pu la dénicher?

Ah! ces idiots de flâneurs qui tuaient le temps à monter, à descendre, à remonter les rues de Dawson, est-ce qu'ils ne pouvaient pas, une fois, une seule fois, en leur misérable vie, laisser tranquille un honnête homme qui ne demandait qu'à être seul? Que le scorbut!... Mais il n'y avait qu'un moyen de s'en débarrasser.

—Venez boire un coup à sa santé, *gentlemen*. Je vous raconterai son histoire chez Ellis, au «Nouvel Eldorado»... Aïrélouska, *darling*, attendez-moi ici: je reviendrai bientôt et nous irons camper plus loin.

Il ne ménagea les rasades à personne, et, quand chacun fut de belle humeur, il crut le moment propice pour un petit sermon:

—Oui, elle sera ma femme d'Alaska, ma vraie, vous savez, et je mettrai un écriteau sur la porte de mon *wigwam*: «Défense d'y toucher» Tant pis pour qui ne saura pas lire!

—Tra la la! Êtes-vous assez naïf, bel amoureux! cria Ellis, un méridional égaré sous le 64e degré de latitude. Votre mascotte a déjà secoué ses mocassins sur Dawson! Moi qui vous parle, tandis que vous buviez tout à l'heure, je l'ai vue prendre la piste indienne de la montagne. Ça vous apprendra à inventer de pareils écriteaux!

Robert sortit au milieu d'une explosion de rires; il courut au canot. Ellis n'avait pas menti, Aïrélouska n'y était plus. Et lui qui avait cru, lui qui s'était imaginé... l'idiot! Comme bien d'autres avant lui, à commencer par Pat, il s'était fait jouer! Mais il pouvait, sans doute, encore la rattraper, s'il se jetait à sa poursuite. Rempli de colère, il prit donc le sentier de la montagne qui surplombe Dawson à l'est. Aïrélouska pouvait courir plus vite que les biches du Klondike: il saurait bien la retrouver, dût-il battre toutes les forêts inexplorées du nord, ou relever un à un ses pas au travers des mousses et des pins centenaires, jusque dans les marais où se rembuchent les bêtes blessées à mort. Et quand, à bout de forces, elle se laisserait rejoindre, alors, oh! alors, il sauterait dessus, il l'étreindrait à faire jaillir de sa peau dorée tout son sang de sauvagesse... Mais par où avait elle passé? Qui aurait pu le dire?

«Mon Dieu, faites que je la retrouve!» dit-il en passant devant la chapelle catholique.

Et, afin de reprendre haleine, il s'assit sur l'unique marche de bois pourri. La nouvelle église des Pères Jésuites, en bas, sur le bord du fleuve, n'était pas encore terminée et l'isba des anciennes missions russes était, en attendant, devenue leur sanctuaire. Elle dominait tout ce marécage que forme la jonction du Klondike et du Yukon, où, trente et un mois auparavant, Leduc, le scieur de long, avait fiché une planche sur laquelle il avait crayonné: Dawson City! Depuis, cinquante mille chasseurs d'or s'y étaient rués des quatre coins du monde, en cette année 1898. Robert les voyait se remuer à ses pieds, monter, descendre cette grand'rue, où ils aimaient à s'entasser vingt heures sur vingt-quatre, sans parler, sans s'arrêter, mais toujours avec le même mouvement d'automates, comme des bêtes qui tournent dans leur cage. Plusieurs avaient des visages désespérés de damnés qui attendent Dieu. Et Dieu ne venait pas. Quelques-uns plus heureux, vautrés à côté d'innombrables chiens dans les rues transversales, la tête sur une pierre, rêvaient; leurs lèvres, parfois, s'entr'ouvraient pour de folles paroles, des histoires de découvertes, des revendications que personne n'écoutait, ou bien encore, dans une extase qui était presque la mort, ainsi que Jacob sur la route d'Haran, ils recevaient les promesses d'en haut: «Je te garderai partout où tu iras, et je te donnerai la terre sur laquelle tu dors...»

Et toujours d'autres mineurs arrivaient des placers, par le Yukon ou la montagne, avec de petits sacs d'or qu'ils avaient hâte d'aller vider loin du désert, sur les bars, dans les théâtres, dans cette Cinquième Rue dont les habitantes parlaient presque toutes le français.—Robert y pensa, un moment, avec une véritable humiliation. Qui donc racontait qu'on n'émigre pas en France? Ce quartier spécial était la preuve du contraire: il était aussi une vivante explication de la bonne opinion qu'on a de nous à l'étranger... Puis, laissant son regard s'envoler par-dessus cette tourbe, il aperçut soudain claquant au vent, le drapeau tricolore de l'agence consulaire. Il dominait le nord de la ville et semblait abriter l'hôpital où d'autres Françaises, elles aussi, étaient venues de Québec, pour guérir les cœurs et quelquefois les âmes... Robert, alors, sentit à la fois la bassesse et la grandeur de sa race gauloise, pétrie d'amour. Puis, le murmure de Dawson reprit tout entier son cerveau, monstrueuse exhalaison des milliers d'énergies grouillant là dans leurs débauches, dans leurs rêves, dans leurs misères et dans leurs richesses.

Et, comme il écoutait, une voix bien connue frappa ses oreilles et le fit tressaillir, toute proche. Il se retourna, ouvrit la porte, aperçut celle qu'il poursuivait. Debout, devant l'autel, Aïrélouska, les bras en croix, la tête levée vers le crucifix, Aïrélouska priait à haute voix. Son attitude extatique était celle que les missionnaires du Yukon aiment à enseigner à leurs catéchumènes. Une bouteille où brillaient des mouches phosphorescentes éclairait en guise de veilleuse la porte du sanctuaire, et ce fut à leurs intermittentes fusées de lumière que Robert put voir l'Indienne. Elle disait:

—Ô mon Dieu, mon Père qui m'as faite! la robe noire avait dit que j'irais plus tard à ton service, aux missions des voiles blancs d'en bas du fleuve. Pourquoi m'as-tu laissé vendre à un mineur?... Tu sais comme je t'aime: pourquoi ne veux-tu pas de moi?... La robe noire disait...

Quand elle songea à aller regarder le soleil au dehors, il rasait déjà les montagnes: comme il devait être tard! Elle descendit en courant, traversa Dawson, s'en alla droit au canot. Ellis, qui l'aperçut, cria quelque chose d'inintelligible. Sûr, son maître allait la battre.

Justement, il était à côté de l'embarcation, à regarder par terre, et il avait l'air si mauvais quand il releva les yeux!

—Aïrélouska, il y a deux jours de provisions dans le canot et un aviron de rechange! saute dedans et va-t'en. Va-t'en aux missions des sœurs de France, en bas du fleuve, et dis-leur que c'est un homme de leur pays qui t'envoie à elles pour qu'elles te gardent... Ne reviens jamais ici, entends-tu? jamais. Tu comprends? Allons, va, ma fille!

Elle, qui entendait et qui ne comprenait pas, se mit à genoux, prit sa main, la porta à ses lèvres. Il la repoussa brutalement:

—Va-t'en! va-t'en donc!

Effrayée, elle sauta dans le canot et prit le large, loin des courants si perfides sous les rives rongées. Comme le soleil, se balançant à l'horizon, dorait l'eau trouble du Yukon, distinctement Robert vit une dernière fois la silhouette de sa jeune amie, les yeux de tigresse apprivoisée, les dents d'ivoire, la poitrine en saillie à chaque coup d'aviron... À cette distance, elle pouvait encore l'entendre, et, s'il la rappelait, elle aborderait plus bas, juste à l'endroit où ils devaient camper. De grands peupliers frémissant à la moindre caresse, y jetaient une ombre fraîche... Il ouvrit la bouche, hésita encore, prit son souffle et dit:

«Dieu, Dieu que je suis bête!... Je donnerais tout le reste de ma misérable vie pour avoir été élevé en païen!»

Après avoir bu aux frais de Robert, et tandis que, sans doute, il embrassait sa belle, il était naturel de parler de lui ou de son pays. Ellis, qui avait eu la chance d'aller une fois en ce Paris tant souhaité où vont, après leur mort, les bons Américains, Ellis racontait au plus attentif des auditoires ses aventures galantes de France. Est-ce qu'il ne savait pas ce dont il parlait? Les bouges de la grande prostituée, il les avait visités un à un; il avait analysé et pris au kodak cette «*couchi-couchi*, danse de... de l'estomac», où excellent les Françaises. «Vous demandez s'ils ont, là-bas, entre la Seine et le Rhône, une femme qui sache dire non? Peuh!» Ellis, ne répondait que par un sourire d'homme à bonnes fortunes. «Décidément, Paris, était bien la Babylone moderne.»

Sur cette conclusion, Robert entra. Une pratique déjà longue de ces consciences délicates lui fit à peu près deviner ce qui venait de se raconter. Une amertume lui monta aux lèvres; il cria:

—Qui veut se battre ici?... Y a-t-il quelqu'un qui veut se battre?... Ça me ferait tant de bien!

Comme il avait de la rage plein les yeux, personne ne répondit. Il se laissa donc tomber, à une table inoccupée.

—Ellis, une bouteille de wisky, une grande!... Je veux me soûler ce soir, pour ma noce!

Les conversations s'interrompirent et il se fit un grand silence où l'on n'entendit plus que le bruit de la bouteille de Robert qui voulait, qui ne pouvait pas s'enivrer.

XIV

LA VEINE MÈRE

Six mois auparavant, un soir que Juneau, chez Boucher, racontait à Tildenn pour la mille et unième fois la découverte du Klondike par Cormack, le roi de l'«El Dorado» lui coupa la parole:

—Ce n'est pas Cormack qui l'a trouvé le premier!

Juneau retira sa pipe de sa bouche, examina le flacon qui se trouvait entre ses deux interlocuteurs et finit par dire:

—Il n'y a plus rien dans la bouteille... Est-ce que ça t'aurait incommodé?

Tildenn éclata de rire. Boucher, qui, de fait, avait absorbé beaucoup trop d'alcool, jura en chilkoot, c'est-à-dire tira du tréfonds de sa poitrine les plus étranges gargouillements qu'il soit possible d'imaginer.

—Tu me crois ivre?... Et vous, vous riez!... Eh bien, venez voir ce que j'ai trouvé avant-hier, au bout du *claim*, sous les buissons du gros rocher. Peut-être alors me croirez-vous.

Ils virent une sorte de grotte, creusée à coups de pic; les mousses des parois attestaient déjà une certaine ancienneté. Au fond, les débris d'un laveur d'or, pourri, quatre planches et une passoire, à côté d'un pic aux trois quarts dévoré par la rouille.

Juneau, qui avait commencé par branler la tête, immobile maintenant, examinait ces débris avec soin, tandis que Boucher, triomphant, répétait:

—*Well!* Que dites-vous de ça? Ils ont été deux «associés» par icite.

—As-tu essayé la veine? Elle ne me paraît pas riche.

—Un dollar au plat. Ça ne vaut pas mon trou, mais ça y menait... Ceux qui ont fait celui-là touchaient presque la pie au nid!

—Que diable ça a-t-il pu bien être?... Voyons, nous connaissions tout le monde au Forty Mile. On n'était pas nombreux, en ce temps-là... Il y avait Dubois, Jefferson...

—Attends... Je vais te montrer autre chose.

Le vieux se tourna vers une anfractuosité bien plus sèche, et, celle-là, naturelle: il ramassa à terre quelque chose de rond, qui avait trois trous très commodes pour y enfiler les doigts, et le présenta à ses amis. Les deux hommes eurent une exclamation de surprise en reconnaissant une tête de mort.

—Encore un! dit Boucher. Je l'ai trouvé sur les cailloux du fond... Je n'ai jamais pu imaginer qui avait cette tête-là: elle est ronde comme les boulets des remparts de Québec. Ce ne devait pas être un Anglais: qu'en dis-tu, Juneau?

—Je n'en sais rien: est-ce que les têtes ne se ressemblent pas toutes après la mort?... Brrr! j'ai peur de finir comme ça, moi. Allons-nous-en...

Dans la cabane, on ouvrit encore une bouteille. Alors, Juneau reprit:

—Et l'autre?

—L'autre? Te rappelles-tu Labelle, que les Indiens appelaient «l'Esprit blanc», parce qu'ils l'avaient rencontré un peu partout entre Behring et le haut du Yukon? On dit qu'il est à présent du côté de la Rivière de Cuivre... Eh bien, Tagish Charlie, le beau-frère de Cormack, m'a dit qu'il l'avait vu camper sur ce même ruisseau en 1895!...

—Oh! c'est donc ça qu'il avait toujours de l'argent dans ses poches! Le maudit cachotier!... Pire qu'un sauvage, puisqu'il ne parlait plus que par signes... Et tu crois que c'est lui? Possible!... Mais si ce n'est pas lui, et s'il ne crève pas ailleurs, sûr, il reviendra un de ces jours avec d'autre or, car il a dans la tête toute la géographie d'Alaska... et si quelqu'un sait où est la veine mère, c'est lui!

La veine mère! Trois petits mots qui, à cette époque, eussent fait passer pieds nus à travers l'enfer les cinquante mille mineurs de Dawson, trois petits mots qui donnaient la fièvre aux cerveaux les plus robustes, et que Boucher, s'il eût bien regardé, eût certainement retrouvés au revers de cette boîte crânienne, imprimés comme s'impriment sur la cire des graphophones les pensées musicales!

Quand, longtemps après cet entretien mémorable, Tildenn entendit parler de l'arrivée subite à Dawson du fameux Labelle, lorsqu'on lui raconta que cet homme avait apporté cinquante mille dollars d'un or *nouveau*, dont le quartz semblait cassé d'hier — exactement comme trois ans auparavant, Cormack au Forty Mile, — le New-Yorkais, encore qu'éveillé, eut une vision. C'était une prodigieuse coulée d'or vierge qui devait exister quelque part, — Dieu, le diable, et probablement cet homme seul savaient où, — un fleuve d'or solide dont les glaces des premiers âges, écorniflant les bords, avaient apporté au Klondike les rognures dorées, — la veine-mère enfin, mère des trésors arctiques! Et ils furent si nombreux à l'évoquer, ils s'enfiévrèrent tellement à y rêver, qu'ils étaient plus d'un millier autour de la tente de Labelle, résolus à le pendre au besoin plutôt que de ne pas lui arracher de la gorge ce qu'il devait savoir.

Seulement, cet homme, ou plutôt ce sauvage, dont il eût été impossible de dire l'âge, avait sous ses sourcils hérissés deux yeux bleu clair qui ne se baissaient pas facilement, et une vilaine manière de taquiner la gâchette de sa carabine, en guise de pipe ou d'autre passe-temps, quand, d'aventure, on se glissait sous sa tente pour causer. Il était rare qu'on y revînt, car il se bornait à vous répondre par signes, comme l'avait dit Juneau. Recourir à la violence il n'en était pas question: la police serait immédiatement intervenue, sans pouvoir rendre la vie au premier mort, — qui pouvait être vous ou moi, — et l'on ne serait pas plus avancé qu'au début. Est-ce que les cadavres peuvent parler? Mieux valait le prendre par la ruse: aussi, pendant deux jours, la population de Dawson l'escorta aux entrepôts, où il acheta pour un an de jambon, de farine, de haricots, sans oublier deux poêles qui constituaient toute sa batterie de cuisine: car, après le lard, il faisait bouillir son café dans le même récipient, ce qui le rendait fort nourrissant. Pendant quarante-huit heures, des députations de *Push*, des Frères Arctiques, des Pionniers, en un mot de toutes les associations plus ou moins puissantes, se succédèrent les unes aux autres et cherchèrent à le faire parler. Ce fut en vain: tout le monde se buta à son obstiné mutisme, jusqu'au moment où Cormack arriva, une bouteille à la main. Labelle, qui, paraît-il, avait aussi une *squaw* quelque part dans le désert, reconnut un frère, et se mit à boire avec lui. Vers minuit,

Cormack, dont la fortune avait changé le cœur, hasarda l'éternelle question:

—Labelle, tu me diras bien, à moi, d'où vient ton or. Où l'as-tu trouvé?

Son ami le regarda en face, de ses yeux abrités par l'auréole d'un chapeau sans fond. — Le fond devait être parti depuis longtemps, mais une forêt de cheveux gris et drus le remplaçait avantageusement. Quant au visage lui-même, ce n'était plus qu'un réseau de rides, qui racontaient, comme les hiéroglyphes d'un parchemin, une vie d'errant en Alaska. Cormack se pencha un peu, tournant sa meilleure oreille vers son ami: dehors, un chien qui hurlait à la mort se tut et le silence de néant des nuits les plus froides d'hiver se fit autour de la tente. Alors, les lèvres du vieux prospecteur s'ouvrirent:

—En me promenant! firent-elles.

Et Labelle, ivre, roula par terre pour dormir. Aussitôt, Cormack, qui voulait achever seul la bouteille, et qui redoutait quelque fâcheuse intrusion, souleva un coin de la toile et cria:

—Vous l'avez entendu! rien à faire, ce soir. Nous allons dormir. Allez-vous-en chacun chez vous. Ce sera pour une autre fois.

L'autre fois ne vint jamais, puisque, le lendemain, Labelle avait disparu avec ses chiens et ses provisions. Il avait même abandonné sa tente, — sous laquelle ronflait Cormack, tandis qu'autour revenaient se poster, à l'aube, le *Push*, les Frères Arctiques, les Pionniers d'Alaska tous ceux que la veine mère empêchaient de dormir.

Ce matin-là, en arrivant à Dawson, lorsqu'il apprit cette miraculeuse disparition, Tildenn se dit qu'il avait laissé fuir l'occasion unique qui passe tôt ou tard à notre portée — et jamais ne revient... Aussi reprit-il la route du Boulder en proie à un découragement véritable, oubliant les achats de vivres que Pat l'avait chargé de faire en ville. Et celui-ci ne put s'empêcher d'exprimer son désappointement.

—À quoi donc rêvassez-vous?... Riche ou pauvre, a-t-on un estomac à sustenter trois fois par jour, ou non? On dirait que vous ne vous en doutez pas... Me voilà obligé de retourner à Dawson, et je n'ai pas de chiens: Robert a emmené l'attelage sur le Hunker, et quant à Caton, il faut le laisser attaché... Un grand diable d'homme, une espèce de muet, est venu chercher Kilippa, et, depuis, il est comme enragé. Nous sommes bien!

Au lieu de se fâcher, Tildenn l'accabla de questions:

—Un muet, vous dites?... Quelle tournure avait-il? Des habits en couvertures de la baie d'Hudson? une carabine à douze coups et un chapeau sans fond?... Dites, dites vite!

—Les habits, je ne sais pas, la carabine non plus; mais le chapeau n'avait plus que des bords, et il avait autour du cou une barbe roulée en guise de foulard. Un vrai sauvage, d'ailleurs, grossier comme une brute d'Esquimau. Il passait ici, ce matin, avec dix autres chiens, quand Kilippa l'a vu, et, tout de suite, s'est rasée à terre. Évidemment, elle le connaissait. Lui est venu droit sur elle, a passé une corde à son cou, et, comme je le regardais, a dit ou gesticulé: «Qui a amené cette chienne? Il y a deux ans que je la cherche. —Sûr, ce sont ses quatre pattes! ai-je crié. Emmenez-la; nous n'y tenons pas, c'est une nuisance: elle a tourné la caboche à ce chien qui est de bonne race, lui!» L'homme a grommelé je ne sais quoi, puis l'a attachée derrière son traîneau et est reparti. Elle se faisait traîner, mais la corde était solide... Ah! la gueuse! elle est digne de son maître. Seulement, quand ce pauvre Caton...

Tom Tildenn n'écoutait plus: sous les yeux ébahis de Pat, il esquissait un «cavalier seul» qui dénotait un état moral des plus inquiétants. Un bâton à la main, il gambadait autour de Caton en chantant: «Ça y est, ça y est!»

Le roquet, qui le comprenait admirablement, hurlait en réponse:

—Je te mènerai! *Oua ha-haou!*

Au soir de cette mémorable journée, quand les trois amis eurent dévoré les provisions rapportées par O'Hara, Tildenn, sous le sceau du secret, leur exposa son plan. Sa bouche parlait moins éloquemment que ses yeux, qui perçaient à travers la nuit arctique, et pourtant, comme un appel aux armes, ses paroles résonnaient dans le mutisme des deux autres. «Sans doute, leurs lavages du printemps leur avaient donné de quoi ne pas mourir de faim; mais était-ce pour cela seulement qu'ils s'étaient risqués en Alaska? Devait-il même leur faire cette question, quand ils n'avaient qu'à lâcher Caton pour s'en aller derrière lui à des fortunes qui passeraient celles des Vanderbilt!»

—C'est ce qui reste à prouver,—remarqua Robert très froid.— Qu'est-ce qui vous prouve que Labelle a, je ne dis pas la veine, mais seulement une mine d'or?

—Et ses pépites? viennent-elles de la lune?

—Il a bien pu les gratter çà et là, au long du Yukon, depuis deux ans qu'on ne l'avait revu!

—Tout son or provient du même endroit.

—Supposition dont j'attends encore la preuve!

—D'ailleurs, quelque chose me dit qu'il a trouvé la veine mère... Voyez avec quelle quantité de provisions il est reparti!

—Probablement, il avait manqué de mourir de faim auparavant, intervint Pat.—Grand bien lui fasse!... Ces saucisses de Francfort sont délicieuses. Je vais en faire réchauffer. En voulez-vous?... Moi, je ne retourne plus aux steeple-chases des découvertes; ce que j'ai me suffit, et j'irai, cet hiver, faire une tournée à mon foyer domestique. J'ai une femme, moi!

—D'autres ont des fiancées, dit Robert.

Et aussitôt il se mordit les lèvres.

Tildenn tressaillit: une radieuse figure venait de lui apparaître, un beau regard qui se levait sur lui comme un soleil au sortir de la brume... Non, cependant, voici la veine, le métal fauve aux reflets de flammes—les flammes du volcan qui le rejetait des entrailles du monde... Mais il disparaissait de nouveau devant le fier, le triste visage d'Aélis: «Revenez... oh! revenez... nous avons si peu de jours à passer ensemble!»

Et Tildenn soupira:

—Robert, vous êtes dur! N'est-ce pas pour elle que je veux suivre cet homme?

—En êtes-vous sûr?... Allons, venez au sud, avec nous, comme les oiseaux... Nous reviendrons... Une heure avec *elle* vaudra mieux que toutes les veines mères du monde... Voilà plus de deux ans que nous sommes ici; comme Pat, je vais aller me refaire en pays civilisé, peut-être même jusqu'en France... J'ai besoin de rire, de chanter, de dire des sottises... Rien qu'à en parler, j'en suffoque!... Et vous, nous laisserez-vous partir seuls? C'est impossible... Rappelez-vous qu'il faut du repos, même à une machine yankee: après, les rouages en fonctionnent deux fois mieux.

—Voilà qui est parler d'or,—dit Pat, la bouche pleine.—Oh! la bonne choucroute!

Mais Tildenn ne répondit pas. Il avait la tête entre les mains. Et une vision d'Apocalypse se leva devant lui,—une bête au ventre jaune qui soufflait sur lui, desséchait sa moelle et la brûlait, qui l'enivrait de son haleine, le jetait enfin dans un esclavage d'autant plus horrible qu'il était plus volontaire. Il la reconnaissait: il l'avait vue au «vendredi noir»; elle l'avait alors baisé sur le front, et il avait perdu la raison... Il releva enfin la tête, et Robert, profondément affligé, baissa la sienne à son tour pour ne pas entendre le *De profundis* de l'amour vaincu par l'or.

—Allez-vous-en tous les deux: nous nous rejoindrons plus tard... Jamais vous ne retrouverez ce que vous perdez de gaieté de cœur, jamais... Et moi, je l'aurai! je l'aurai!... Je partirai demain!

XV

RÊVE DE MILLIONNAIRE

Ce fut au centre même de New-York, dans l'arène de Madison square, que le très aristocratique collège de Pelham joua sa partie annuelle de cricket contre le collège encore plus aristocratique de Rosemary. Les deux, en effet, sont les précieuses pépinières où l'Europe vient recruter ses grandes dames, quand elles ont appris la chimie, la diplomatie, l'histoire et l'astronomie, quand elles savent aussi effleurer à table un verre de leurs lèvres recueillies en bouton de rose, ou bien, à courre, sur leurs «pur sang» d'Irlande, franchir une haie de cinq pieds de haut. Or, le jour fameux était arrivé, le jour où devait triompher leur callisthénie, devant les anciennes élèves, et les plus élégants *sportsmen* de la capitale. Trois heures de jupes courtes — fichtre! les jolies jambes! — et de maillots jersey, avec une charmante petite armature en avant, corset breveté à l'épreuve de la balle aux endroits sensibles; trois heures de charges en zigzag, la crosse à la main, avec de gracieux gestes en rond, si esthétiques! Trois heures enfin de cet exercice trop masculin, les clameurs des deux camps, le pourpre et le saphir:

> *Who are, who are,*
> *Who are we?*
> *We are the girls*
> *Of Rosemary!*

Voilà pour le camp pourpre; à quoi celui de madame Hazen répondait vaillamment:

> *Rah! rah! rah!*
> *Hear us call*
> *Hazen! Hazen!*
> *Pelham Hall!*

Lorsque Rosemary l'emporta, l'enthousiaste assistance reprit son cri: «Ro-Ro-Rosemary!» et Aélis, ancienne graduée du collège, ne put retenir un baiser à l'adresse de Minnie, la jolie capitaine. Déjà, autour d'elle, chacune, debout, répétait, avant de s'en aller, le refrain de la victoire:

Razzle-dazzle, Hobble-gobble,
Sis! boum! ah!
Victoria! Victoria!
Rah! rah! rah!

La fiancée de Tom Tildenn avait encore au bout des lèvres ces interjections iroquoises, quand, à la porte, un petit bonhomme à livrée grise l'arrêta, et touchant sa casquette:

—Pardon, miss... On vous demande au bureau numéro 3, à côté. Il y a un télégramme.

—Un télégramme? Pourquoi ne l'avez-vous pas apporté?

—On ne me l'a pas donné. C'est vous-même qu'on demande, miss.

Le gamin, qui faisait une navette journalière entre le 1, le 2 et le 3, connaissait bien la jolie télégraphiste de la Bourse. Aélis, sans chercher plus longtemps le mot de l'énigme, le suivit au bureau: sans doute, il y avait au Central quelque malade à remplacer. Elle s'installa devant un appareil, appela le 1 et signala:

—C'est moi... miss d'Auray. Quelqu'un m'a demandée?

—Ah! très bien. C'est l'administrateur lui-même. Je vais le prévenir.

—J'attends.

Quelques minutes s'écoulèrent, bien longues pour la jeune fille, de plus en plus intriguée. Enfin, Morse reprit la vie et la parole:

—Êtes-vous là, mademoiselle? C'est Frank Smith qui parle.

—Oui, *monsieur* Smith.

Et, tandis qu'elle appuyait sur «monsieur», le sang montait par ondes successives au visage si fin d'Aélis.

—Il n'y aura plus de «monsieur Smith», si vous le voulez bien, mademoiselle. Je n'aurais jamais osé vous le dire autrement qu'au bout de ce fil... Êtes-vous toujours là?

Le fil se tut. Dehors le vent s'amusait à le faire vibrer,—rire ou gémir, peut-être? les fées de l'air, seules, pouvaient décider la chose.—Une étincelle partit du 3.

—Oui... oui.

Et le 1 s'enhardit tout à fait, avec la rapide précision d'un éminent homme d'affaires:

—Alors, j'ai l'honneur de vous demander votre main, mademoiselle d'Auray. Voulez-vous être ma femme?... Vous ne répondez pas? Sans doute, je sais la différence d'âge qui nous sépare. Mais mon affection vous la fera oublier...

Elle tremblait fort en l'écoutant. S'il avait pu la voir, sa vieille bouche sceptique, ses lèvres aux coins lassés auraient dit: «mon amour». Ce qui eût été parfaitement ridicule et vrai. Cependant il conclut:

—Enfin, mademoiselle, si l'argent peut rendre heureuse une jeune femme, certes vous serez celle-là!

Les employées du 3 prétendent que la favorite—elles l'appelaient ainsi entre bonnes amies—ferma tout à coup l'appareil, et sortit sans dire un mot, ou même prendre le temps de remettre ses gants. «Et rouge, cramoisie, ma chère, comme si elle était fardée, ce qui ne me surprendrait que médiocrement, du reste!...»

Les sonneries du 1 coupèrent court à ces réflexions: c'était l'administrateur qui réclamait la directrice et la précipitation de ses appels n'annonçait rien de bon.

—Qui a osé m'interrompre?... Que faites-vous donc pour me laisser appeler ainsi sans répondre? Où est miss d'Auray?

—Elle est... je crois qu'elle est partie.

—C'est impossible. Allez, courez, cherchez, dites-lui que je n'ai pas fini... Remuez-vous! Je vais attendre moi-même.

On alla, on courut, on chercha: miss d'Auray ne put se retrouver. Et Frank Smith aurait pu attendre longtemps si la mère Saint-Joseph, des Ursulines, avait toujours été à New-York. Mais on venait de l'envoyer au couvent de San-Francisco, et Aélis était seule dans la grande cité: c'est pourquoi, une demi-heure plus tard, elle frappait à la porte du bureau de l'administrateur. Maintenant, debout en face de lui, comme quatre ans auparavant, elle lui faisait absolument perdre la tête: lumière d'aurore et parfum de printemps, yeux de velours toujours un peu tristes et qui n'en étaient que plus beaux, admirable statue vivante d'une Diane chrétienne, bien faite pour le piédestal que pouvait lui fournir un millionnaire.

Et pourquoi ce millionnaire ne serait-il pas le vieux Frank?... Puisque sa première femme avait eu l'esprit de s'en aller à temps, qui donc maintenant viendrait se dresser entre son désir et lui?

Les collectionneurs d'Europe s'amusaient à fouiller les cendres des cités mortes pour retrouver les déesses du temps passé, des fantômes de marbre. Eux, en Amérique, ils les voulaient vivantes, frémissantes, telles qu'elles marchaient jadis sous les yeux des sculpteurs antiques: «Cette femme si belle est à moi, à moi...»

Frank Smith qui venait de faire le plus beau des rêves, ouvrit les yeux et murmura:

—Miss d'Auray... je... vous... voulez-vous vous asseoir?...

Si le samedi après-midi survient sans que votre blanchisseuse vous ait envoyé le linge immaculé qui vous permettra, le lendemain, d'aller prier le Seigneur en pleine lumière, de telle sorte que l'assistance de l'église ou du temple se rende bien compte de votre piété, comme de votre élégance, votre patience est vite à bout: vous prenez votre canne, et vous allez demander des explications à qui de droit. L'inexactitude est un péché mortel au siècle de la vapeur: vraiment, il est insupportable...

Ce fut à ce mot que s'arrêtèrent net presque toutes les protestations des clients de madame O'Hara,—gros et fin depuis vingt ans, au 203½ de la 109e.—Le reste s'étranglait au fond des gorges devant la plus incroyable des fantasmagories. D'abord, six fiacres à deux chevaux, tout empanachés, caparaçonnés de vert tendre,—le vert du trèfle d'Irlande,—attendaient à la même porte; et, pour y arriver, il fallait pousser à droite, cogner à gauche, fendre une foule admirative dont la masse s'enflait comme les grandes marées d'équinoxe. Une fois entré, vous aperceviez au fond de sa cuisine Brigitte O'Hara, trônant sur sa table à repasser, entourée d'une cour d'amies encore plus vertes que les coursiers de la rue. Ce coup d'œil commençait à vous émouvoir, et vos réclamations se faisaient plus timides. Deux ou trois hommes froids, pourtant, insistèrent avec violence,—le sacristain de l'église Saint-Patrick, entre autres, un rustre auquel les splendeurs terrestres n'inspiraient aucun respect.

—Ça a-t-il du bon sens de nous obliger à venir chercher notre linge à travers cette cohue! Où sont mes chemises?... Vraiment, il y a ici plus de fous en liberté qu'à Long Islands!

—Votre linge était trop sale! cria madame O'Hara, furieuse. Prenez-le, sacristain, et allez-vous-en. J'ai fini de vous blanchir, vous et les autres! Mon mari a rapporté des millions du Klondike, et un carrosse m'attend à la porte. Qui est-ce qui s'imagine que je vais continuer à me brûler les mains avec de la *potache*?

Personne ne s'imagina quoi que ce fût au monde, pas même le sacristain déconfit. Si vous êtes obligé d'approcher un nid de guêpes ou un meeting d'Irlandaises, il est prudent de faire le mort. Et puis, les paroles de madame respiraient la vérité: si, comme on le disait dans la rue, Patrick, Patrick du Klondike était arrivé tout à l'heure, portant sur son dos un sac d'or aussi gros que lui, pouviez-vous exiger que sa femme continuât à frapper, à tordre, à décrasser votre linge hebdomadaire?... La vie est une bascule. Hier en haut, aujourd'hui en bas, ou réciproquement: voilà la force de l'Amérique.

Or, je vous le dis, il était, Lui, au sommet de sa gloire, quand il parut au sommet de son escalier: de la chambre où ils venaient de trinquer, d'innombrables amis sortaient, le suivaient pas à pas, tous des *gentlemen* en gants et redingotes sur lesquelles se croisaient d'éblouissants baudriers verts—vert trèfle d'Irlande.

La foule applaudit et Pat ôta son claque (c'est un chapeau très pratique pour les bagarres, où il s'aplatit sans se détruire): les cochers firent claquer leurs fouets, et les chevaux dansèrent. Pat remit son chapeau, alluma un cigare, et entra dans le premier carrosse avec huit amis. Son épouse occupa le second au milieu de quatre dames d'honneur. Le reste de la suite s'entassa dans les autres véhicules, on ne sait trop comment, et le triomphal convoi s'ébranla dans un rayonnement vert,—vert trèfle d'Irlande!—Sur le siège du premier carrosse, un cornet à piston commença:

> *We'll sound the jubilee from the centre to the sea,*
> *And Ireland shall be free, says the Shan-van-Vogh!*

Pat fit arrêter devant le numéro 107, pour remettre une lettre de son ami Titi, l'ancien roi de la Bourse, à la plus jolie fille de New-York, sa fiancée,—je n'ai pas dit: «la plus jolie femme», madame O'Hara!—et le cortège royal reprit sa marche entre deux haies d'admirateurs. S'il en eût fait partie, Diogène aurait soufflé sa lanterne: c'était bien le plus bel ouvrage du créateur, un homme, un homme heureux qui passait. À voir, au travers des bouffées de cigares, sa bonne et large figure souriante, et les merveilleux reflets du velours eau de mer sur le visage congestionné de madame O'Hara (tour de taille, 1^m,03), vous oubliez votre linge sale, vous pardonniez à l'élue de la fortune et, comme les autres, vous criiez avec conviction:

—Vive Pat du Klondike! *Erin go bragh!... Chorus, boys!* Ensemble:

> *We'll sound the jubilee from the centre to the sea...*

XVI

PRÉSENCE RÉELLE

—Nom d'un loup! Impossible d'avaler cette soupe! Elle vous brûle le nez, et, si on attend quelques minutes, ce n'est plus qu'un bloc de glace où l'on a bien du mal à lécher sa vie! Gueux de pays! À quoi pensent les hommes qui nous amènent au Yukon?... *La-laouh! Ou-la-laouh!*

Ils étaient douze chiens d'attelage à lapper leur écuelle de riz et de lard, avec, de temps à autre, un regard de côté, puis un grondement féroce si un camarade faisait mine de se rapprocher. Il y avait quatre malamutes, un énorme Saint-Bernard, six métis variés, produits du hasard, enfants de Bohême, et notre ami Caton.

Le museau entre les pattes, celui-ci rêvait à l'écart. De temps à autre, levant la tête, il reniflait l'air froid, puis, d'un bond, cherchait à prendre le large: chaque fois, une secousse de la chaîne qu'il portait au cou le rappelait à la raison; et il revenait s'accroupir aux pieds de son pilori, tandis que ses camarades le raillaient à qui mieux mieux. Cette fois, pourtant, personne n'y fit attention, pas plus qu'au hurlement de Pitou, le bâtard de chien de berger: tout le monde était trop occupé à nettoyer sa terrine dessus, dessous, dedans. Enfin, un semblant d'épagneul répondit:

—Oui, c'est une existence de brute... Mais, ce qu'il y a de pis, ce n'est pas le froid, la faim ou la fatigue: c'est la vermine. Dire que moi, moi, Sancho, qui n'avais jamais rien attrapé à Frisco...

—La vermine! Qu'est-ce que vous nous aboyez là, monsieur l'aristocrate? Les puces, voire même les poux, sont la santé du corps. Ce qui nous tue, c'est le traînage. Quand je pense que depuis un mois et demi nous tirons mille livres sur ces damnés...

—Pitou, mon petit, ne jurez pas!—dit le Saint-Bernard en se léchant une patte.—Ce n'est pas joli; et puis, à quoi ça sert-il?

D'indignation, le roquet sauta en l'air, et, retombant d'aplomb sur ses quatre pattes, il regarda avec une colère de dyspeptique ce gros bœuf qui ne demandait qu'à faire la sieste:

—Écoutez, écoutez, monseigneur qui rumine! Si mes imprécations troublent sa quiétude, qu'il s'en prenne aux hommes qui ont traversé le Chilkoot avec nous l'an passé, et qui juraient dix fois par minute: «*Maache! – Murche! – Mââche dein! Ghi, ah-oh-ah!* damnés fils de chienne!» et les «*dam*» de Londres, les «*f...*» ou les «*crrré nom*» de Paris, les «*Teufel*» de Berlin!... les... mais je n'en finirais pas. Tas de sauvages! Il fallait toujours les comprendre, et, le soir, après trente ou quarante kilomètres, ils voulaient bien nous accorder une dégelée de coups de pieds et de pâtée à la graisse rance. Pouah! le cœur m'en lève encore!

—Ou bien, fit un autre, c'était une balle dans la tête, au bas du lac Laberge, quand nos pattes avaient laissé leur peau à tous les glaçons coupants de la route. Mes deux frères y sont restés. Moi, je me suis sauvé, et une barque m'a recueilli le long de la rivière des Quarante-huit kilomètres.

—Vous auriez mieux fait de vous noyer. Est-ce que ce n'eût pas été préférable au métier que nous faisons depuis un mois, depuis le jour où le maître nous a jetés sur cette trace fantastique qui s'en allait d'abord aux Montagnes Rocheuses?...

—Quelque piste de chercheur d'or... Les nouvelles découvertes sont des avalanches: plus elles arrivent de loin, plus elles sont grosses. Allez à l'origine: que trouvez-vous? du vent!

—Non, ce devait être un chasseur, puisqu'elle a tourné sur la Stewart, redescendu au Yukon, remonté la White River, où nous l'avons perdue, ce qui ne nous a pas empêchés de venir jusqu'ici, en plein pays de loups-garous ou de grizzlys. Regardez plutôt autour de vous! Je commence à en avoir assez, moi!... *Hou, la-laouh!*

—Il a raison, le gamin! fit un aboiement. Moi, les pattes me saignent à chaque enjambée...

—Moi, je n'y vois plus d'un œil: ou plutôt je ne vois plus que du blanc.

—C'est abominable! Nous allons tous y rester! Révoltons-nous, Pitou!

L'indignation éclata, générale, parmi les métis. Très fier, Pitou se redressa:

—C'est mon avis. Seulement, il faut savoir où nous sommes! Y a-t-il quelqu'un qui se reconnaisse?

—Moi! bâilla un malamute.

—Parlez, parlez donc, alors!

—Je crois bien que le ruisseau qui descend là à l'ouest est la tête de la Tanana! celui qui file au sud-est la Rivière du Cuivre... Océan Pacifique à gauche, mer de Behring à droite: curieux, très curieux, même pour moi qui ai mon Alaska au bout des pattes, mes enfants. Grand pays! Nous devons être sur les terrains de chasse de ces géants qui s'appellent *Natanuskas*... Ce sont des anthropophages.

Les métis n'étaient jamais ailés à l'école, même primaire. Ils s'écrièrent ensemble:

—Qu'est-ce que c'est que ça?

—Si vous m'interrompez, je ne dirai plus rien, fit le malamute.

Étant du Nord, il parlait peu et n'aimait pas à répéter.

—C'est un mot de missionnaires d'en bas du fleuve, et ça signifie: «Des mangeurs de...»

—De chiens! hurla Pitou avec horreur, tout hérissé. Eh bien, vrai de vrai, il ne nous manquait plus que ça! Frères, debout! Allons-nous-en!

—Calme-toi, petit! fit le Saint-Bernard. Quel potin vous faites, à vous six! Laissez dormir les honnêtes chiens.

Le malamute se tourna vers le bon gros dogue:

—Ne faites pas attention! Ce bâtard radote. Est-ce qu'il est capable de trouver sa vie en liberté?

Sans bruit, les autres chiens indiens ricanèrent, et leur chef continua:

—Ça ne sait rien, ces enfants des villes, pas même écorcher un hérisson du coin des lèvres, sans se piquer... Et puis, demain, le froid les calmera. Avez-vous remarqué quatre soleils aujourd'hui, et, autour, des cercles, comme des yeux de hibou la nuit? Oui? Eh bien, c'est le signe d'un refroidissement tel que, dans quelques heures, la langue de ceux qui ouvriront la gueule pendra dehors, gelée, comme un bout de stalactite. J'ai vu ça, moi qui vous parle, et je n'ai pas quinze ans!

Il se tut, soupira une fois, et se tourna en tire-bouchon pour dormir au fond de son trou, dans la neige.

Mais le bivouac s'était réveillé à ses terribles prédictions. Un souffle d'inquiétude sortait des gueules, et Pitou, qui ne voulait plus se sauver, mais qui voulait rester le chef, eut une inspiration de génie. Il se tourna vers Caton:

—Voici le coupable, frères et amis! C'est lui qui nous mène chaque jour au caprice de son museau du Labrador! C'est lui qui nous fait courir, pire que des chevaux, sur des pistes où il est le seul à sentir quelque chose. Le maître le suit toujours: donc, à lui de nous ramener demain en arrière... Entendez-vous, maître Caton!

Pas de réponse, si ce n'est une queue raide, deux oreilles couchées, une lèvre vilainement retroussée sur des crocs très pointus. Et puis, au fond des yeux jaunes, il y avait sûrement de la rage. Pitou se retourna vers ses troupes: elles étaient prêtes à le suivre, *s'il avançait*. Les malamutes dormaient en un cercle parfait, prenant la vie comme elle venait, et, somme toute, contents de servir qui les nourrissait. Mais le Saint-Bernard, la tête de trois quarts, avait un œil ouvert sous une oreille des plus ironiques.

Quand les gros chiens regardent les petits comme ça, les petits ne savent plus ce qu'ils font. Pitou sauta sur Caton: le roquet jaune le terrassa, le cloua à terre, où il commença à râler. Les autres se précipitèrent à sa rescousse, quand accourut Tildenn. L'ordre fut tôt rétabli à coups de fouet. Cependant Caton fut épargné dans cette distribution: même, le maître examina soigneusement chacune de ses pattes, comme si elles eussent été plus précieuses que celles de ses camarades. Aussi, quand il se fut retiré, pour se venger, les fouettés entonnèrent un hymne à la lune, où, sans s'arrêter, ils répétèrent trois mille six cent fois chacun en sept heures:

—Caton est fou, fou, fou!... *Ou, la la-houh! La hou hou hou-hou-hou!*

Lorsque Tildenn s'était décidé à suivre Labelle à son insu, il avait aussitôt préparé tout ce qu'il fallait pour un voyage d'au moins six mois, à l'époque la plus rigoureuse du Yukon. Son expérience de deux hivers arctiques lui avait permis de laisser tout le bagage inutile dont s'encombrent les novices, — manteaux de fourrure, trop chauds pour la marche, épaisses couvertures, encombrantes autant que lourdes et qui laissent filtrer le froid, une fois qu'on s'est retourné d'un coté sur l'autre; provisions ou extraits de viande, enfin, dont les boîtes d'étain augmentent le poids sans que leur valeur nutritive soit le vingtième de celle annoncée dans leurs prospectus... Il s'était contenté de deux paires d'excellentes bottes lacées au cou-de-pied et sur le côté, de mocassins et de vingt-quatre paires de chaussettes, — on ne saurait trop en avoir au cours de ces marches forcées d'hiver, — d'une *parka*, veste de cuir fourrée à l'intérieur, avec capuchon pour la nuit, et enfin d'un sac-lit à triple rang de plumes, à travers lesquelles le froid ne trouvait aucune fissure pour venir brûler la peau. Le reste du bagage se composait d'un poêle, d'une tente de soie, et de sept cents livres de lard et de biscuits de marine. Ainsi lesté, il pouvait aller jusqu'au pôle Nord; il pouvait aller du moins, tant qu'il aurait du bois pour sa cuisine du soir et du lard pour se nourrir avec ses chiens, — charbon de bois et charbon de viande, pour le poêle de tôle et le poêle de chair. — Du thé et de la saccharine complétaient cet approvisionnement de sybarite. En route, il avait tiré quelques caribous, dont la carcasse gelée faisait les délices de l'attelage. Et grâce à Caton, toujours attaché pour ne pas se perdre, il avait pu dépister le trappeur à travers ses extraordinaires crochets qui commençaient à l'inquiéter tout de bon.

Le vieux se savait-il suivi? Riait-il dans sa barbe en emmenant Tildenn sur une fausse trace? Ou bien ne ramassait-il son or, comme on l'avait prétendu, qu'en le glanant çà et là, au hasard de ses vagabondages annuels? S'il en était ainsi, si vraiment il n'avait pas trouvé la veine mère, si lui, Tom Tildenn, avait couru après un spectre, — ce spectre de l'or que tous les mineurs voient une fois au moins avant de mourir, — pendant qu'à New-York ses amis, près d'Aélis!... Non, il ne voulait pas y penser, en ce moment. Ou bien son cerveau se viderait, sa raison continuerait à courir le désert, pendant que ses chiens ramèneraient son corps vivant au Boulder. Il ne serait pas le premier: vous rappelez-vous Whipple? — Ha! ha! ha! — Aélis viendrait le baiser au front, et ça lui ferait tant de mal, parce qu'il n'y aurait plus rien dedans et qu'il ne pourrait plus rattraper ce qui en serait sorti pour toujours... Depuis combien de temps avait-il vu un autre homme que lui? Trente jours? cent jours? Il ne savait plus; il ne voulait pas savoir, puisque là, à côté, veillait le démon du désert d'Alaska, et que, pour la seconde fois, il guettait l'occasion de s'agripper à son âme.

Tildenn se rappela son aventure du Dôme et fit un effort: il alluma son poêle pour se préparer quelques grillades, qu'il arroserait d'une tasse de thé bouillant. Au dehors, la température s'abaissait tellement que son thermomètre éclata vers minuit, avec le même bruit qu'une amorce d'enfant. Il sortit pour aller couper du bois; en quelques secondes, ses gants se recouvrirent d'une mince couche de glace:—l'évaporation qui se faisait par les pores de la peau;—ses doigts crispés sur le manche de la hache ne pouvaient plus s'ouvrir. Il eut peur de laisser le sang s'y arrêter, courut sur la glace du ruisseau, fit un faux pas et tomba les mains en avant. La droite entra dans un trou où l'eau fumait au lieu de geler, comme cela arrive au cœur même de l'hiver. Il la retira aussitôt: elle se trouvait déjà emprisonnée dans une énorme mitaine de glace, au milieu de laquelle il sentait encore ses doigts dans l'eau qu'il battait en les ouvrant, en les refermant, pour les empêcher de geler tout à fait. Il s'en alla vite à sa tente, et, quand il eut fait fondre cette croûte, il ressortit pour ramener sa charge de bois. Comme il rentrait, la tempête annoncée par les quatre soleils et prédite par le malamute éclata soudainement.

Ce fut un ouragan de neige follette, qui venait de partout, sur la bouche où elle fondait, dans les oreilles qu'elle assourdissait, sur les yeux où elle s'humectait d'abord, puis gelait en soudant les deux paupières ensemble et vous faisait tourner sur place, perdu à dix pas de votre abri. Tildenn eut à peine le temps de rejoindre sa tente, qui disparaissait dans la blancheur universelle. Il y entassa son bois, se blottit à côté du poêle, et ferma la porte.

La neige continua de tomber, épaisse, pressée maintenant, tellement qu'on ne distingua plus, le jour suivant, le disque blanchâtre qui, d'habitude vers midi, prenait le nom de soleil. Et le déluge continua, ensevelissant le traîneau, les chiens autour de la tente, étouffant tout ce qui restait de vie en Alaska. Le second jour, les vents commencèrent à siffler des quatre coins du monde, comme pour se battre autour de la loque d'où sortait un peu de fumée bleue, et ce fut dans la plus effroyable désolation qui se puisse concevoir que Tildenn laissa passer les heures, blotti au fond de son sac-lit, pour économiser le combustible.

Enfin, la nuit du troisième jour, la Grande Ourse resplendit au ciel, redevenu merveilleusement transparent; on revit scintiller les feux colorés d'Arcturus; les vents et l'ouragan passèrent en Sibérie d'Asie; l'aurore boréale empourpra l'horizon de splendides, de fantastiques illuminations qui jaillissaient en geysers de lumière douce pour disparaître plus vite encore, reparaître ainsi que les cordes d'une lyre céleste, sur laquelle des nuages allongeaient comme des mains hésitantes. Même, Tildenn, qui s'était remis en marche aussitôt, car il craignait pour l'instinct de Caton, quelque surprenant qu'il fût, Tildenn entendit tout à coup des arpèges successifs, venant de très loin, — devant, derrière, au-dessus, il n'aurait su le dire, car ils s'en allèrent au nord, revinrent au sud, se divisèrent peu à peu entre tous les points cardinaux qui jouaient à se les renvoyer à travers l'immensité. — Des voix d'enfants s'y mêlèrent, modulèrent des gammes changeantes comme celles du ciel. Du moins, Tildenn s'efforça de s'en rendre compte, il voulut s'assurer qu'il ne dormait pas. Pour mieux le vérifier, il se dit: «Je vais m'asseoir; je serai très bien sur cette bonne neige molle. Ah! la jolie musique qui chante, qui pleure... Et voyez, en l'air, cette ville de palais blancs... sans doute, la «cité qui dort», des Indiens... On voit les clochers, les tours, les avenues et les squares, mais personne...»

Un brusque aboiement de Caton le secoua: il fit un effort, se remit en route. Est-ce qu'il allait se laisser endormir par ce froid excessif? Il avait des pointes de feu par tout le corps: mieux aurait valu attendre une journée de plus sous la tente, mais, puisque c'était fait, autant continuer à foncer en avant et se réchauffer par un trot continu, en attendant le soleil.

Six heures plus tard, en effet, le soleil parut à l'horizon, éblouissant sur la neige fraîche, dans sa splendeur de Dieu triomphant de la mort. Caton aboya une seconde fois et prit le galop. Ses onze camarades s'emballèrent à sa suite: leurs jambes s'étaient refaites toutes neuves depuis soixante-douze heures, et ils avaient mangé beaucoup de ce lard qui ne se digère que par des trentaines de kilomètres au galop! Tom voulut les rappeler: ils ne l'écoutèrent pas. La distance qui les séparait de leur maître, augmentant de plus en plus, commençait à l'inquiéter, quand il les vit s'arrêter brusquement le long d'un petit monticule blanc. Caton y disparut, et les autres se mirent à hurler. Sans doute, quelque roc, ayant accroché le traîneau, les empêchait, Dieu merci, de continuer leur course folle! Il ralentit le pas, mais, à mesure qu'il se rapprochait, maintenant que le danger était passé, il ne pouvait maîtriser un frisson de tous ses membres. Enfin, il arriva et il vit.

Il vit Caton, couché sur la neige, au fond d'un trou qu'avait creusé, en expirant, Kilippa; il vit l'attelage du vieux, raide aussi sous les harnais, comme des animaux en bois, les jambes bizarrement écartées, les lèvres relevées sur les dents de glace; il regarda enfin le traîneau, et, sous sa capote de neige, assis toujours les rênes en main, il reconnut Labelle, gelé, une statue de glace, aux yeux grands ouverts, d'où le soleil commençait à faire tomber des larmes.

Et le vieux qu'avait chassé le spectre de l'or à travers l'horrible tempête, le vieux, fixement, considérait un rocher, en face, une pierre qu'il avait dû voir depuis des années, à chaque heure, à chaque minute, à chaque seconde de sa vie solitaire: instinctivement. Tom Tildenn regarda, lui aussi, et, dans ses yeux dilatés, il reçut un coup qui les fit papilloter comme devant la fulguration d'un éclair... Là, elle était là, devant lui, la Veine, la Veine Mère, une coulée jaune, fantastique, incroyable, à peine striée çà et là de quartz bleu, la Veine, la Veine Mère du Klondike, ô créateur qui avez fait les mondes et les avez donnés à l'or!

Et le pauvre homme qui se trouvait ainsi, subitement, sacré roi du Klondike, connut ce jour-là le paradis: car il vit son dieu en face, — et il ne mourut pas.

XVII

«LADY PROSTITUTE»

Frank Smith n'avait pu comprendre le refus d'Aélis d'Auray. Cela passait son entendement! Est-ce qu'il ne «valait» pas un tas de millions qui s'accroissaient mathématiquement chaque année? Il était prêt à en placer trois ou quatre sur la tête de sa femme, afin de parer à toute éventualité de ruine ou de faillite. Si elle avait été une enfant de quinze ans, ses idées romanesques auraient pu s'excuser, à la rigueur, parce qu'à cet âge, comme dans les romans, on rêve une chaumière et un cœur. Mais à vingt-deux ans sonnés, après avoir connu la gêne, — et pis encore; probablement! refuser un cœur et un palais, — *well! it was a most foolish thing to do*; c'était inadmissible... Que dit le proverbe d'ailleurs: «Mieux vaut être la mignonne d'un vieux que l'esclave d'un jeune!» Nul doute qu'Aélis réfléchirait; son exaltation passagère...

Ici, Frank, qui avait un mérite, celui de ne jamais mentir qu'aux autres, jeta son cigare par la fenêtre:

«À quoi bon me leurrer. Cette petite a des yeux et une bouche qui ne trompent pas. Il suffit de la revoir comme je l'ai vue quand elle s'est retournée sur le seuil de la porte: «Cela ne se peut pas; je vous répète, monsieur, que je suis fiancée. — Oh! si peu!... Est-ce qu'on a entendu parler de lui depuis des années qu'il a disparu au pôle Nord? Vous êtes la seule à vous le rappeler. Allez-vous donc vous sacrifier à un souvenir?» Par Jupiter! quels beaux regards d'indignation, à ce moment-là, et quelle voix d'argent: «C'est pourquoi, monsieur, vous voudrez bien accepter ma démission, avec les remerciements qui sont dus à vos égards... Si je suis la seule à ne pas oublier, ainsi qu'il vous plaît de le dire, il n'est que juste que j'aille moi-même m'en convaincre là-haut.» Et la voilà partie aussi vite qu'un télégramme, pauvre et belle comme devant, fière comme une reine, sotte comme une histoire d'amour au pain sec et à l'eau!... Et je reste, moi, Frank Smith, entre le passé, qui est au cimetière, et l'avenir qui s'en va au Klondike... Comment faire pour le rattraper? Je donnerais cent mille dollars pour le savoir.»

Quant Robert de Saint-Ours eut mis Aélis à bord d'un *steamboat* du haut Yukon, il lui dit:

—Au revoir, mademoiselle. Il me faut passer à Atlin, mais je serai à Dawson dans quinze jours.

Et il s'en alla très vite, sans tourner la tête. Car il s'était singulièrement épris de son rôle de protecteur, entre New-York,—où elle lui avait demandé la permission de faire le voyage avec lui,—et le lac Bennett. Elle le vit s'éloigner avec un serrement de cœur, et l'angoisse monta soudain à son visage de jeune fille qui, pour la première fois, commençait à sentir autour d'elle l'effroyable isolement d'Alaska. Cette sensation dura jusqu'à Dawson, où elle débarqua au bout de quatre jours de navigation. Une nuit de repos au Royal Hôtel lui rendit ses forces: dès le matin, elle se rendit à l'hôpital où elle devait trouver le Père jésuite pour lequel ses maîtresses les Ursulines lui avaient procuré une lettre de recommandation.

La porte était recouverte d'un drap sombre quand elle s'y présenta, il lui fallut frapper plusieurs fois avant de réussir à attirer l'attention des gardes-malades. Enfin, un vieux mineur, tout noir encore de scorbut, finit par venir.

—C'est-y vous qui grattez comme ça?

—Oui, monsieur. Je voudrais voir le Révérend Père Judge, si c'est possible.

—Sans doute, miss, sans doute... Seulement on ne tape pas aux portes, à Dawson: on entre tout droit, surtout avec un joli visage comme le vôtre!

—Pardonnez-moi de vous avoir dérangé. Je croyais... mais où trouverai-je le Père?

—À l'église, naturellement!... N'avez-vous pas remarqué, en passant, la foule qui entre pour le voir? Vous n'avez qu'à suivre...

—Alors, j'y vais à l'instant. Merci, monsieur.

«Monsieur», qui n'était que «Nicolas» depuis soixante-trois ans, ouvrit une bouche immense en la regardant descendre le perron de bois, puis se mit à bredouiller:

«Nom d'un bateau de Québec! La belle créature! Et polie, avec ça!... Je parie qu'elle vient de Yoshiwa... En voilà une qui me guérirait plus vite du scorbut que les drogues du docteur!»

Construite par un millionnaire écossais, auquel, trois ans auparavant, les missionnaires avaient fait crédit d'une messe à vingt-cinq sous, l'église était à côté de l'hôpital. Des centaines de mineurs entraient, sortaient en silence, leur chapeau ou leur bonnet de fourrure à la main, et marchaient avec une certaine précaution, formant une file qui parut interminable à la jeune fille.

«Quelle foule! Jamais je n'arriverai avant midi!»

Elle se trompait: là, encore, son joli visage fit miracle. Les rangs serrés s'ouvrirent, les lourdes bottes cessèrent de marteler le sol: «Passez, passez, *lady*. Dieu vous bénisse!» Elle passa, silencieuse elle aussi, mais avec un gentil merci de la tête. D'une main, elle avait relevé sa jupe, et, de l'autre, elle tenait sa fameuse lettre de recommandation, tandis que, pénétrant dans l'église, le cœur un peu serré, sans trop savoir pourquoi, elle répétait en elle-même la requête qu'elle allait adresser au Révérend Père. Bien sûr, il ne la refuserait pas, si elle insistait, elle, si seule au milieu de tous ces hommes, parmi lesquels son fiancé reviendrait on ne savait quand. Elle se sentait au plus haut point misérable: «Ce sera non, d'abord, parce qu'il y a déjà trop de monde. Alors je lui dirai...»

Elle releva la tête: derrière elle, le piétinement s'arrêtait. Devant elle, il y avait un catafalque, au centre de l'église, où des bougies éclairaient en frissonnant celui que tous venaient saluer une dernière fois sur terre. La jeune fille retint à peine un cri, porta les deux mains à son visage, les abaissa presque aussitôt et, plus courageuse, regarda celui qui dormait là, dans le cercueil noir aux lettres blanches:

R . P . J U D G E , S . J .
R . I . P .

Mon Père, mon Père, était-ce bien vous que l'Ange terrible dont vous nous parliez si souvent était venu appeler, vous à qui il était descendu dire: «Ta tâche est finie: viens au tribunal, il est temps!» Vous aviez demandé un sursis, vous aviez même lutté jusqu'à la fin: car vous les aimiez, vos aventuriers du Yukon, et vous ne saviez que trop où ils s'en iraient s'ils perdaient le missionnaire debout avec eux sur la brèche, en ce coin perdu du monde. Mais l'Ange avait vaincu: et quoique terrassé, vous étiez là encore à nous sourire, vous l'apôtre des premières heures dans la ville de boue et d'or, vous, *le seul* homme, le seul qui ne fussiez pas venu au Klondike pour y «faire de l'argent». Même à cette visite suprême, votre pâle, votre ascétique visage nous redisait une fois de plus: «Il y a autre chose, croyez-moi, mes enfants! Je ne serai pas toujours là pour vous le dire ni vous pour l'entendre...» Étranges paroles, qui, dans la bouche de Mac Donald ou Lippy, assis sur leurs millions, eussent coulé sur nous ainsi qu'une eau tiède sur des icebergs. Mais votre murmure à vous, dominait la grande clameur de Dawson, il nous suivait ainsi que les moustiques à travers la solitude des montagnes, l'écrasement des vallées, l'angoisse d'un immense glacier où beaucoup pleurent en se cachant des autres, parce qu'ils pensent au passé. Il nous harcelait même le jour triomphant où nous rapportions notre or, notre premier or à Dawson pour y acheter un peu de bonheur...

Et maintenant, baissant la tête pour le dernier adieu, un à un, nous passions, secouant l'eau bénite sur ce corps si usé, si transparent, qu'au sortir de l'église, ceux qui ne vous avaient jamais vu auparavant s'écriaient: «Ah! qu'il était donc frêle! Comment a-t-il pu faire tant d'ouvrage dans le pays?»

Aélis était à genoux: goutte à goutte, ses larmes tombaient sur sa supplique que, d'une main maladroite, elle cherchait à glisser aux pieds du prêtre mort. Cela fait, elle se recueillit, murmura un *De profundis*. Soudain une rumeur monta derrière elle, un grondement remplit l'église, déborda sur la place. Inconsciemment, elle avait parlé haut et les Canadiens répondaient aux versets terribles:

> *Si iniquitates observaveris, Domine, Domine quis sustinebit?...*
> *A custodia matutina usque ad noctem, speret Israel in*
> *Domino...*
> *Requiem æternam dona eis, Domine,*
> *Et lux perpetua luceat eis...*

Elle se releva, sortit sans trop se rendre compte de ce qu'elle faisait, se retrouva dehors à côté d'un groupe de mineurs qui causaient à voix basse et leur demanda:

—Quand enterre-t-on le Père?

—Demain matin à huit heures, miss. La ville entière y sera. Ceux du Bonanza et du Hunker arrivent aussi ce soir, et on attend dans la nuit les gens du Dominion... Il nous aimait tous, protestants, catholiques ou païens, nom d'un tonnerre!... *Oh! I beg your pardon, miss!*

Or, en cette année de grâce il y avait à Dawson, scrupuleusement dénombrées, sept honnêtes femmes. La huitième fut Aélis: comme elle l'ignorait, au lieu d'aller se joindre à leur petite congrégation, le lendemain, au premier banc de l'église, elle se mit à côté des autres qui formaient une imposante majorité. La place de ces dernières n'étaient évidemment pas à l'église—n'est-ce pas, madame?—et il avait fallu la mort d'un saint pour les rendre à ce point effrontées. Les vierges sages, au surplus, les dévisagèrent si bien que ces folles ne cherchèrent pas à diminuer la distance, et ce fut tout au fond du lieu sacré que resta, plus ou moins intimidé, leur joli groupe de brebis galeuses.

Excepté Topsy, pourtant, à côté de laquelle vint s'agenouiller Aélis... Topsy était le lotus rose de Yoshiwa, et Yoshiwa (qui a jamais pu trouver l'origine de ce nom?) était le quartier de la 5e rue, où, dans une crise de vertu, les maîtres de Dawson avaient relégué ces dames. Les Anglais le surnommaient la «Petite France», et les Canadiens «la plus Grande Bretagne». Quoi qu'il en fût, Topsy en était la reine, une ravissante petite poupée de Yokohama, où pas une geisha ne savait plus délicieusement vous chanter sur une guitare à trois cordes:

> Argent ou moi, qu'est-ce que tu préfères?
> *Choïto! don-don!*
> *Otagaïdané;*
> *Choïto! don-don!*
> *Shimaïmashitané.*

Ce disant, elle vous considérait avec ses yeux de quinze ans, aussi innocents que sa bouche était perverse. Pour femme, et chatte, et dangereuse, elle l'était incontestablement: il n'y avait qu'à passer devant son cottage, au retour des placers, pour s'en apercevoir. Vous aviez de l'or plein vos poches, et souvent encore plus de kilomètres dans vos jambes: un mois ou deux de solitude au milieu du désert de glace vous faisait hâter vers Dawson, et c'est à ce moment-là qu'Ève déchue et le paradis très terrestre venaient à votre rencontre. Ses petits pas d'enfant pressé, comme hésitants sur des sandales qui se seraient perdues au creux de votre main, commençaient à piétiner sur votre cœur; il suffisait d'un mot, alors:

—Je me suis vue dans vos yeux. Venez: j'ai du thé parfumé, il vous reposera...

Avait-elle une âme? Les missionnaires des dix à douze sectes qui l'avaient cherchée au bout de leur invisible scalpel auraient seuls pu répondre; et ils étaient tous à San-Francisco où elle avait passé deux ans. À Dawson, néanmoins, il fut impossible d'en douter après le service funèbre du Père Judge. Car ce fut en ce jour inoubliable, tandis que les drapeaux flottaient à mi-mâts, que les tripots étaient fermés, qu'enfin la plus étrange, la plus vicieuse et aussi la plus religieuse des foules entourait le cercueil d'un prêcheur, ce fut précisément à l'élévation que Topsy poussa un gémissement, perdit connaissance et roula par terre.

Aélis lui releva aussitôt la tête: les perles dorées de sa chevelure, en se brisant, avaient amorti sa chute, et pourtant il y avait des larmes dans ses yeux, pareils à deux diamants noirs. Un mineur la prit à bras le corps et l'emporta. Cinq mille personnes attendaient sur la place; à leur vue, il y eut un long murmure.

—Topsy!... c'est Topsy!

—De l'eau, je vous en prie! suppliait Aélis. Elle n'est qu'évanouie.

L'eau arriva, froide comme la glace d'où elle s'égouttait à peine. La Japonaise ouvrit ses yeux, les essuya, regarda les curieux massés autour d'elle et, cette fois, elle éclata en sanglots. Elle se serrait contre Aélis:

—Emmenez-moi... emmenez-moi, voulez-vous?... Je l'ai vu... Il m'a dit, comme l'an passé, à l'hôpital, pendant ma pleurésie: «Topsy, petite Topsy, où allez-vous? Que ferez-vous quand je ne serai plus là?...» Emmenez-moi.

Subitement, elle frappa deux fois, trois fois, quatre fois ses mains l'une contre l'autre, à la manière des shintoïstes, pour le réveil de la «longue nuit»:

—*Ma! écoutez les gnômes! Chichi! koishi! haha! koishi!*

Elle se voyait perdue maintenant dans cet antre sinistre où reviennent les enfants morts, Kyû-Kukedo-San, près d'Izumo, et où ils cherchent leurs mamans dans les ténèbres, sans jamais les retrouver. Chrétienne, bouddhiste, shintoïste, toutes les croyances se heurtaient dans sa petite cervelle, lorsqu'elle recommença son appel à Aélis:

—Emmenez-moi!

—Où?

—À Yoshiwa, numéro...

—Numéro 132, miss,—fit une voix par derrière;—il y a devant une lanterne chinoise avec des dragons. Mais ce n'est pas la place d'une *lady*.

—C'est vrai: il a raison! dit Topsy. Cependant, vous me faites du bien. Vous savez, madame, je suis une geisha.

—Une?...

—Une... *lady prostitute*.

Aélis devint très rouge, puis regarda autour d'elle: les mineurs reculèrent. Jamais revolver ne valut deux yeux de femme pure.

—Pouvez-vous marcher? dit-elle. Oui? Eh bien, appuyez-vous sur moi. Je vous reconduirai chez vous.

—Ah! que je suis contente!

Elles partirent ensemble vers la 5e rue.

Un instant après, les portes de l'église s'ouvrirent pour laisser passer le corps du prêtre: il s'en allait au cimetière, lui; les vierges folles, les vierges sages, les mineurs, les joueurs, des ivrognes même qui titubaient un peu, l'escortaient lentement sous un ciel triste de fin d'hiver, dans la désespérance du grand Nord. Mais là-haut, bien sûr, il y avait, sur les marches d'un trône de gloire, une âme sacerdotale qui priait pour les purs, qui suppliait pour les impurs, et surtout, oh! surtout, pour le lotus rose de Yoshiwa.

XVIII

OMAÉ SHINDARA

Ceux qui n'ont jamais eu faim, celles qui n'ont jamais eu soif, ne devront pas lire ce qui suit. Car ils appartiennent, évidemment, à ce très petit nombre de privilégiés qui naissent au-dessus des misères humaines, à qui le diable ou la vie ne réserve que les tentations de l'oisiveté. Gens très bien élevés qui, d'avance, retiennent leur loge en paradis, où rien d'*improper* ne blessera plus leurs belles âmes, ils ne peuvent comprendre certaines fautes, ils ne sauraient les expliquer, encore moins les pardonner. Comment le pourraient-ils? Ils vivent si loin de terre! Savent-ils la frénésie de vie éclatant soudain chez ceux qui étaient perdus et qui se retrouvent? conçoivent-ils la folie de ceux qui étaient pauvres et qui, tout d'un coup, deviennent cent fois millionnaires? Ils n'ont pas vu les fonds d'abîmes, ils ne voient pas les sommets des réussites prodigieuses: ne leur confiez pas la charge de juger...

Manéki-néko est une chatte qui fait patte de velours, et s'étire langoureusement comme pour vous dire, dès le seuil de la maison ouverte: «Venez donc vous amuser!» Quoiqu'on ne le voie pas derrière elle, le dieu de la pauvreté marche à son ombre et les goules sont ses sœurs; cependant, comme elle attire la faveur des riches et la protection des puissants, c'est elle, la petite tigresse, qui est la bonne fée des geishas.

Celle que Topsy avait apportée à Dawson était en porcelaine: on la voyait, en entrant, droite sur ses pattes de derrière, sur le *kamidana*, l'étagère sacrée qui faisait face à la rue. À côté d'elle, il y avait l'image d'Ami-no-uzumé-no-mikoto, devant la caverne où se retira jadis la déesse du soleil: les genoux un peu fléchis, les deux mains portant au-dessus de la tête le tambourin mystique du *sourou*, son visage émergeait, impassible, d'un surtout rouge à mailles blanches, tandis qu'elle commençait la danse merveilleuse qui rend au monde la chaleur, la vie, l'amour.

Entre les deux idoles brûlait une veilleuse dans une sorte de saucière en bronze, et sa lueur éclairait plusieurs idéogrammes à caractères cabalistiques. Tout en aidant Topsy à préparer une tasse de thé parfumé, Aélis s'amusa à se les faire traduire.

Le premier disait: «Adoration à la grande Kuan-zi-on, la miséricordieuse, qui regarde par-dessus le son des prières.»

Un autre: «En paradis, l'élu reposera sur les corolles du lotus d'or!»

Un troisième était orné de dessins rouges, bleu et or, sous cette légende:

Omaé shindara téra iva yaranou!
Yaété konishiti saki dé nomoú!

—Ah! celui-ci... fit la petite geisha.

—Eh bien!... que veut dire cette lune qui décroît dans un ciel pourpre?

—L'amour est pourpre, et, comme l'astre des nuits, croît, brille et meurt... Écoutez, voici le sens de l'écriture. C'est une des plus vieilles poésies de mon pays.

Elle prit sa guitare:

Ô mon amour, si tu meurs, tu n'iras pas à la tombe,
Car je boirai plutôt tes cendres dans une coupe de nectar...

Bercée, emportée par la mélodie, la danseuse était perdue au loin, dans un rêve, à Yokohama, au pays des dieux, et ce fut presque sans surprise qu'elle entendit une belle voix, au dehors, répéter après elle:

Omaé shindara téra iva yaranou!

Topsy reprit le second vers:

Yaété konishiti saki dé...

Elle n'acheva pas: aussi blanche que la neige, Aélis venait de chanceler, puis s'était prise au *kamidana* pour ne pas tomber. Topsy jeta sa guitare, courut à elle, l'obligea doucement à s'asseoir dans un fauteuil. Ensuite, elle se retourna, et celui qui venait de lui donner la réplique entra sans frapper. Quoique ses visites fussent rares, elle le connaissait bien d'avance: ils n'étaient que deux, dans Dawson, à connaître le texte original de la chanson d'amour. Alors elle s'avança, les deux mains sur la poitrine, le sourire de sa race aux lèvres: en arrière, Manéki-néko tendait toujours ses pattes de velours, par-dessus la tête penchée d'Aélis. La veilleuse s'éteignit brusquement au souffle froid de la rue.

—Topsia, petite Topsia, me voilà de retour!... Et, cette fois, j'ai trouvé plus d'or que n'en tiendrait ta maison.

Les yeux d'Orient brillèrent comme ceux d'un serpent: la geisha passa ses bras au cou de celui qui apportait ces bonnes nouvelles. À plusieurs reprises, il la baisa sur les lèvres ainsi qu'un ivrogne ou un amoureux.

—Que de fois... que de fois j'ai pensé à Dawson et à toi, pendant mon voyage!... Un peu plus, et j'y laissais ma vie. Ah! que l'or coûte donc cher!

Comme il disait ces mots, il aperçut celle qui, assise dans un fauteuil, sous le *kamidana*, se cachait le visage entre les doigts, par manière de jeu, sans doute; il courut à elle, lui saisit les bras, les écarta et se pencha pour l'embrasser en disant:

—C'est une amie, Topsia? Alors il faut qu'elle aussi me donne un...

Il n'acheva pas: elle leva la tête et ils se regardèrent. Topsy le vit se redresser, lâcher les mains de la jeune fille, et, les yeux fixés sur elle,—des yeux d'homme tout à coup dégrisé, d'abord lucides et graves, et ensuite presque fous—reculer jusqu'au mur. Aélis, elle aussi, le suivait du regard, et derrière ce regard, il vit distinctement une morte. Enfin, elle se mit debout, aussi doucement qu'un fantôme, et passa devant lui. Comme la porte, en se refermant, allait cacher ce beau visage où la stupeur, le désespoir, la douleur et l'épouvante se confondaient en la plus tragique des horreurs, il fit un grand effort et dit:

—Aélis... est-ce bien vous? Que faites-vous ici?

Ah! quelle voix de perdue pour l'éternité, quelle voix lui répondit:

—Et vous?

Il leva les deux mains comme pour parer un coup, puis resta immobile.

Par la porte restée entr'ouverte on entendit le bruit lointain d'un tumulte, une clameur, des apostrophes qui se rapprochaient, s'éloignaient, se rapprochaient encore, exactement comme les cris d'une meute sur la voie d'un cerf. C'était Dawson qui revenait des obsèques d'un saint et, déjà, se remettait en quête du métal dieu.

—Il est allé dans la 5e rue! — Non, on l'a vu chez Ellis! — Est-ce vrai qu'il a trouvé la veine mère? — Oui, il est arrivé avec trois traîneaux d'or! Ses Indiens y retournent tout de suite. Où est-ce? Il nous le dira!

Tout à coup, une voix domina les autres:

—Il est dans la 5e rue! — Ce n'est pas étonnant: allons-y!

—Oui, il est chez la Japonaise... Hourra! Vive le roi du Klondike! le roi, le roi, le roi!

Aélis entendit la clameur de toutes ces poitrines haletantes: pour se sauver, elle se mit à courir; et lui, le Roi, qui entendait aussi ces cris, sur le seuil de Topsy, sans bouger, sans parler, presque sans respirer, il la regardait s'éloigner et disparaître... Derrière lui la Japonaise fredonnait:

Ô mon amour, si tu meurs, tu n'iras pas à la tombe...

XIX

LE ROI DU KLONDIKE

Écoutez, écoutez, citoyens de la Reine du Pacifique! Cortez trouva le Mexique, et Pizarre, le Pérou. Un flâneur a découvert l'or australien, comme un meunier celui de Californie; celui du Sud-Africain roula sous le pied d'un fermier; mais c'est un mineur, un vrai mineur yankee, Tom Tildenn, de New-York, qui vient de découvrir la Veine Mère d'Alaska. Il est trop tard pour raconter aujourd'hui les aventures par lesquelles il a passé avant de mettre la main sur un trésor qui laisse dans l'ombre tous ceux des Incas préhistoriques. Ce sera pour nos prochains numéros. Aujourd'hui, nous devons nous contenter de signaler son arrivée dans nos murs, par l'*Excelsior*, même bateau qui l'avait emmené, il y a quatre ans, au nord. Six camarades armés jusqu'aux dents accompagnent ses précieuses caisses de pépites; ils ont passé la nuit au Palace Hotel, d'où la police les escortera ce matin jusqu'à la Monnaie, à onze heures précises. Vraiment, cet homme a vécu le plus fantastique des rêves, puisque, mendiant hier, il peut aujourd'hui acheter San-Francisco, si ça lui plaît!

Le *Times* de «Frisco» ne mentait pas: ce qu'il imprimait en première colonne était vrai. Un nommé Tom Tildenn était arrivé la veille et quinze *policemen* se relayaient au Palace Hotel pour garder ses caisses d'or. Plus vite que le journal, le bruit en courut de Kearney street jusqu'à ce Cliff, sur l'Océan, où les phoques eux-mêmes, dressés sur leurs rochers, crièrent à plusieurs reprises: «*Gôaout! Gôaout!*» ce qui veut dire, en leur langage: «Allez-y voir! Allez-y voir!»

Les gens de New-York auraient répondu: «Nous sommes trop affairés!» Ceux de Chicago: «Zut!... à d'autres!» Les naturels de San-Francisco, qui ont des loisirs parce que le plus beau, le plus chaud, le plus rayonnant des soleils leur apprend à aimer une vie toujours trop courte dans leur admirable Californie, les citoyens de la Reine du Pacifique se précipitèrent vers la Monnaie pour voir passer le Roi du Klondike. Ce fut donc entre deux haies vivantes, enthousiastes,

132/142

qu'il mena au feu ses millions, et sa physionomie, son attitude de travailleur brisé par la vie trop dure surprit désagréablement la foule.

—Il a l'air d'un pauvre honteux: ce n'est pas lui, vous devez vous tromper!

—N'est-ce pas le premier, en tête des voitures?

—Non, celui-là, c'est un Français, un autre mineur de Dawson... Je vous dis que c'est bien lui, dans le landau qui arrive.

Il y eut une poussée: le cordon des *policemen* fut rompu; ceux qui accompagnaient Tildenn, assis dans sa voiture même, à côté, en face de lui, crièrent bien vite: «En arrière! pas de mains aux portes!» Et, prestement, ils tirèrent leurs courts bâtons. Un petit mendiant protesta encore:

—C'est pas vrai! C'est pas lui! Il a l'air trop malheureux!

Alors, tout le monde recula, et Tildenn sortit de sa torpeur; se dressant à son tour, il interpella le gamin:

—Et toi, petit, es-tu heureux?

—Moi?... (Toute sa figure éclatante répondait à la question.) Moi? Oui, quand je mange à ma faim... Dites, c'est-y vous qu'êtes le Roi du Klondike?

Vraiment, sous ses haillons, l'enfant resplendissait de la joie de vivre au bon soleil. Tildenn ouvrit une caisse, y prit un sac de trente livres, et, sans arrêter la voiture, à deux mains, le lança au petit bonhomme en disant:

—Oui, c'est moi le Roi. Tiens, attrape!

Le sac creva en touchant terre: les pépites du nord roulèrent dans la poussière du sud; la foule se rua à la curée avec une ardeur qui dégénéra bientôt en demi-émeute, et les galions à roues disparurent avec leur escorte derrière les lourdes portes de la Monnaie.

Maintenant, Tildenn se trouvait dans la chambre de fer où l'on éprouve la valeur de l'or. C'était une sorte de cage, avec, au bout, quatre fours d'acier pour les creusets d'argile qui reçoivent les morceaux de minerai ou les pépites. Les employés y déposèrent quelques échantillons des sacs apportés par Tildenn, recouvrirent les creusets d'une calotte en argile, également, et commencèrent à les chauffer.

Bientôt, on entendit le ronflement de plus en plus fort du courant d'air à haute pression: les vases se colorèrent comme aux reflets d'une lueur lointaine et, peu à peu, passèrent au rouge transparent. La chaleur devint plus intense: le rouge fit place au blanc, un blanc trop éblouissant pour être fixé par des yeux sans protection, et de petites langues verdâtres ou bleues jaillirent, puis d'autres encore, de toutes les couleurs de l'arc-en-ciel,—tout un jardin de fleurs phosphorescentes qui s'épanouissaient autour d'une île de corail, éclataient parfois en exhalant des saphirs, des émeraudes, de merveilleuses flammes changeantes... Et c'était si féerique dans la nuit du cachot de fer, que Tildenn ne savait plus où il était quand, subitement, quelqu'un lui prit la main et dit:

—C'est fait, votre or vaut seize dollars à l'once.

—Vraiment?

Il avait peine à se réveiller; l'autre le regarda d'un air surpris:

—Oui... Comme vous avez apporté un peu plus de trois tonnes, cela vous fera un million et demi de dollars pour cette fois.

—C'est bon, faites un reçu.

—Je vais le préparer moi-même, intervint le directeur de la Monnaie en personne.—Tous mes compliments, monsieur Tildenn. Vous êtes un homme heureux.

—Très heureux. Très. Un million et demi!... Bah! Rob, j'en donnerais dix, j'en donnerais vingt, je donnerais la Veine Mère pour l'avoir, *elle*... Je viens d'apprendre qu'en descendant du *Pacific*, qui est arrivé deux jours avant l'*Excelsior*, elle s'est aussitôt rendue au couvent des Ursulines. Je lui ai écrit... Robert, vous avez appris à la connaître, puisque c'est vous qui l'avez amenée de New-York à Dawson—et que Dieu vous le pardonne! Dites-moi... pensez-vous, croyez-vous qu'elle oubliera?

—Il faut l'espérer, mon vieux. Vous savez le proverbe: «*Never say die!* Ne dites jamais: Tout est perdu!...*»

—Je vous demande une réponse catégorique. Pourquoi user de détours? Quelle est votre idée?

Tildenn était devenu très irritable; il se pencha, pour mieux examiner la physionomie du Français, et ajouta:

—Vous ne dites rien, parce que vous savez comme moi, que jamais, jamais elle ne pardonnera... Damnation sur moi! me voilà plus ruiné qu'au soir du «Vendredi noir»!... Et vous, voulez-vous que je vous dise ce que vous pensez?...

—Calmez-vous, je vous en prie, Tom! On va entendre...

—Qu'est-ce que ça me fait?... Ah! vous avez peur!... Eh bien, je le dirai tout haut, votre secret, faux ami que vous êtes! Vous l'aimez, vous! Et vous n'êtes pas fâché de ce qui m'arrive, parce que...

—Tildenn, vous n'avez pas le droit de parler ainsi. Taisez-vous, au nom du ciel, ou je vous ferme la bouche!

Face à face, prêts à se jeter l'un sur l'autre, ils semblaient deux aliénés hors de cellule. Robert de Saint-Ours fit un dernier effort: sa conscience un peu troublée vint au secours de sa raison, domina ses nerfs en révolte. Il recula jusqu'à la porte et sortit, mais pas avant que son ancien ami, resté immobile, lui eût jeté cet adieu:

—Damnation sur votre tête et la mienne!... Vous ne l'aurez pas, Robert, vous ne l'aurez pas plus que moi!

Tom, ensuite, redevint silencieux. Le directeur de la Monnaie, très ému par cette scène, l'entraîna au dehors après lui avoir remis son certificat de dépôt. Cet homme, déjà âgé, appela un fiacre, l'y poussa et, pendant que la voiture s'éloignait, ne put s'empêcher de murmurer entre ses dents:

«Quels gens bizarres que ces revenants du Nord! Ceux d'Arizona ou du Colorado chantent quand ils apportent ici leur or. Ceux-ci ne disent mot, ou n'ont plus d'énergie que pour se disputer. Il y a un ressort de cassé dans leur mécanisme... Est-ce le Klondike qui les abrutit à ce point-là?»

Tom a perdu sa fiancée et son ami; mais il a de l'or, beaucoup d'or; et il se le répète ainsi qu'une litanie, pour ne pas penser à autre chose, et aussi parce que le cerveau lui fait encore plus mal que jadis à New-York. Le cocher qui le mène se retourne de temps à autre pour lui montrer les merveilles de San-Francisco; mais le client n'écoute pas, ou bien répond à tort et à travers, et l'automédon commence à se poser exactement la même question que le directeur de la Monnaie.—C'est pourtant une de ces journées à ciel bleu où l'on a envie de chanter à pleins poumons parce que l'air est rempli de parfums!...

Tout à coup une idée lui passe par la tête. «Comment n'y ai-je pas pensé?... Ça doit être ça: trop de solitude...» Il rassemble ses rênes: «Allons, hop! au trot!» et se dirige vers l'est de la ville, vers le rivage où la mer caresse amoureusement les plus splendides villas du monde.

Les voilà dans un parc en miniature, pas trop loin d'une église sur laquelle brille une grande croix de cuivre; puis, c'est une longue maison basse, entourée de vérandas, où l'on cause, où l'on rit sous des touffes retombantes de jasmin. Tiens, le son d'un luth!...

—Où suis-je? demande le voyageur.

Le cocher triomphe: il a trouvé le remède de son malade.

—C'est Yoshiwa, dit-il. N'est-ce pas que c'est beau?

Une voix l'interrompt; elle s'accompagne sur ces guitares à trois cordes qui sonnent faux aux oreilles occidentales:

Omaé shindara...

—*Téra iva yaranou!* crie Tom, tout à fait réveillé.

Et il se met à rire si fort que le cocher recommence à l'observer du coin de l'œil.

Des exclamations à travers le jasmin, pépiements d'oiseaux effarouchés; une robe de soie arrive, une petite tête aux cheveux noirs tressés sous des peignes bizarres entremêlés d'or et de fleurs:

—Comme c'est charmant! Auguste étranger, vous parlez honorablement notre langue!

—C'est moi qui l'ai amené! fait le cocher, en se redressant.

—Oui, c'est bien toi!—fait Tildenn, qui rit toujours.—Ho! ho! Aïkichi, ou Katsuko, petite geisha, que quel soit ton nom, veux-tu me mener à ta maîtresse? À l'instant!... Vous, cocher, attendez-moi ici.

Le voilà devant madame. «Que désire-t-il? Nous ferons certainement de notre mieux pour le satisfaire. Nous avons...»

—Je veux acheter la maison et le parc.

—Quoi! Yoshiwa!... vous mettre à notre place!

—Oui, pourvu que tout soit évacué dans les vingt-quatre heures.

—C'est impossible! Et que deviendrait San-Francisco sans nous?

—Faites votre prix, madame. Je ne plaisante pas. Tout n'est-il pas à vendre, ici?

Madame est très agitée. Elle a visité les cinq parties du monde; elle n'a jamais rien vu de pareil. Il lui faut au moins quelques minutes pour réfléchir.

—Sans doute, monsieur ne refusera pas un verre de champagne? Je vais revenir tout de suite...

Elle sort, court au fiacre:

—Qui m'avez-vous amené là, cocher? Un prêcheur ou un fou?

—Je ne sais pas trop s'il est fou, répond l'homme, mais je sais bien qu'il est le Roi du Klondike.

—Quoi! le fameux Tildenn dont parle le *Times*?

—Tout juste!

Madame disparaît comme un éclair; elle court, elle tremble, elle chante. À la porte du salon, elle trouve trois geishas que cet original vient d'expulser. Il n'a pas même touché à son verre.

—Eh bien, madame?

—Mon Dieu, monsieur, vous me voyez très embarrassée. Je suis veuve, voilà vingt ans que je travaille, et je n'ai pas d'autre moyen de gagner ma vie...

—Voulez-vous cent mille dollars?

Cinq cent mille francs! de quoi vivre honnête et respectée, à Nice, dans une villa, parmi la haute société!... Pourtant, si l'on peut avoir plus...

—Yoshiwa vaut plus cher!

—Voulez-vous cent cinquante mille? Non! Eh bien, je vous offre mille livres d'or, deux cent mille dollars comptant, mais à une condition: c'est oui ou non, tout de suite. Après, vous ne me reverrez plus jamais.

Tom se lève; madame dit oui et pleure. Lui se rassied pour signer son chèque.

—Partez toutes ce soir! Laissez la maison telle qu'elle est; mais déguerpissez avec vos Japonaises, vos Turques, vos orientales et vos occidentales, toutes vos poupées aux enchères, que le tonnerre du ciel puisse écraser!

Il se met à jurer, et madame se sauve, les mains aux oreilles. Alors il revient seul à sa voiture, et il a honte d'avoir ainsi crié sa peine, lui qui, si souvent, a méprisé l'expansion méridionale, les plaintes, les grimaces familières aux races dont la langue et le visage redisent toutes les pensées au lieu de les cacher sous un masque stoïque. Il rentre au Palace Hotel pour se coucher sans même souper, et, sur sa table, il trouve un mot apporté du couvent:

«Mademoiselle d'Auray recevra monsieur Tildenn demain, à dix heures. »SŒUR SAINT JOSEPH.»

Le lendemain est arrivé: dix heures sonnent avec recueillement à l'horloge du parloir, qui, depuis un demi-siècle bientôt, répète ainsi: «Toujours... Jamais».—Et le roi du Klondike l'écoute comme écoutent ceux auxquels on va lire leur arrêt de mort. Son cœur fait trop de bruit dans sa poitrine, au milieu du silence de cette pièce lugubre. Viendra-t-elle? Ne viendra-t-elle pas?

Des pas de l'autre côté de la grille, une porte qui s'ouvre, une religieuse qui entre—avec elle; elle, Aélis!... Tom se lève, baisse la tête, veut parler, mais n'y réussit pas, et des larmes brûlantes, rapides, pressées, lui obscurcissent la vue, tombent à terre comme une pluie d'orage. Lui, un homme, il pleure, il gémit ainsi qu'un enfant. Aélis le regarde des mêmes yeux qui le virent un jour s'en aller à la Bête, quittant le comptoir où elle était assise et traversant la corbeille, à la Bourse de New-York. Pour le sauver alors, pouvait-elle sacrifier son honneur? Et maintenant, pouvait-elle...?

Elle se retourne vers la religieuse:

—Ma Mère, quoique je sois en retraite, voulez-vous nous laisser seuls? Pas plus de cinq minutes.

Mère Saint-Joseph s'en va...

Dix minutes après, elle revient, Aélis se lève:

—Adieu, Tom Tildenn... Allez à Lui: car, seul, il ne passe pas, et, seul, il sait ce qui nous convient le mieux. Chaque jour de ma retraite, je prierai pour vous, et, si vous le priez aussi de votre côté, il nous montrera notre voie à tous deux.

Ce disant, elle chancelle un peu: son ancienne maîtresse lui passe un bras autour de la taille, et doucement l'entraîne. Tildenn prend la grille à deux mains... Donc, c'était la fin, la fin de toute sa vie d'aventurier. C'était pour aboutir à cet adieu-là qu'il avait jeté aux quatre coins de l'Alaska plus d'énergie que d'habitude n'en possède un mortel!... Il ébranla de toute sa force la cloison à claire-voie; le bois commença à éclater:

—Aélis! vous ne me reviendrez pas, je le sens, je le devine! Aélis, dites un mot, et je brise cette odieuse grille, et je vous emporte au bout du monde, loin de mon crime et de mon agonie. Aélis, je vous veux, m'entendez-vous!

Debout, vraiment magnifique en cet élan suprême, il semblait, nouveau Samson, qu'il allait faire écrouler le couvent: est-ce que rien pouvait résister à ses bras d'athlète? Les deux femmes s'arrêtèrent éperdues, tressaillant malgré elles jusqu'au fond de l'âme. Mais voilà que l'inexorable horloge, sonnant la demie, les rappela au devoir. Aélis reprit conscience d'elle-même et sortit la première; la religieuse la suivit en laissant une aumône au désespéré.

—Monsieur, monsieur, priez du fond du cœur... Ceux qui ont la foi font des miracles!

Or le même soir éclata cet incendie qui surexcita au plus haut point la curiosité de San-Francisco. L'alarme sonna au premier, au deuxième, au troisième districts presque en même temps: les chevaux se précipitèrent hors de leurs stalles, les harnais s'ajustèrent automatiquement sur leurs reins, les pompiers bondirent à leurs places, et ils partirent, hommes et chevaux, parmi les tintements de la cloche, entre les hoquets des machines à haute pression prêtes à vomir des torrents d'eau. Dans leur sillage, une foule se précipita qui grossissait de seconde en seconde, d'autant plus que mille rumeurs étranges exaspéraient au plus haut point la passion de la multitude pour les drames.

—Qu'est-ce qui brûle?

—On dit que c'est Yoshiwa.

—Allons donc! Ce n'est pas possible! Il y a trop de monde.

—Mais il n'y a plus personne que le Roi du Klondike! N'avez-vous pas lu les journaux?

—Le Roi? Qu'est-ce qu'il fait là dedans?

—Il a cinq cents femmes, comme son collègue Salomon!

Les rires éclatèrent, vite arrêtés par l'essoufflement de la course. D'autres reprirent:

—C'est un couvent qui brûle!

—Drôle de couvent! Je vous dis que c'est Yoshiwa!

—C'est affreux!... Les pauvres petites!... Courons!

Quand ils arrivèrent à Yoshiwa,—puisque c'était bien ce fameux parc aux cerfs qui brûlait—ils virent le plus étrange des spectacles. Sept pompes à feu étaient arrêtées devant les grilles, et leurs officiers discutaient avec un homme très pâle, tête nue, qui criait de l'autre côté:

—Laissez-moi tranquille! C'est moi qu'ai mis le feu! La maison est à moi et je la brûle!... Je suis Tom Tildenn, du Klondike... Il n'y a plus personne dedans, je les ai chassées. Laissez brûler!

Une porte céda, les pompes entrèrent, s'en allèrent évoluer devant la fournaise, où, tout de suite, elles dardèrent leurs jets d'eau. Mais ils s'engouffraient d'une façon pitoyable dans l'énorme brasier dont les flammes, maintenant, illuminaient la moitié de la ville.

—Laissez brûler: il a dit de laisser brûler; ça le regarde!... Et, du reste, il n'y a plus rien à faire.

—On disait bien qu'il était fou!

—Fou à lier: regardez sa figure!... A-t-il des héritiers?

—C'est le feu de joie du Roi!

La foule trouva le mot si plaisant qu'elle le répéta dans une immense acclamation. Tom Tildenn l'entendit. Il revécut alors son passé. New-York, le triomphe et la débâcle, puis le Klondike et la vie sauvage, les misères, les angoisses et la réussite. Plus tard, après l'extase, le retour; au sortir du désert, une simple idée lui était venue, son imagination s'était exaltée, il y avait pris plaisir, et, au moment précis où il avait dit à la tentation: «Oui!» avant même qu'il l'eût savourée, voilà qu'un effroyable châtiment avait surgi entre lui et son péché. Vraiment oui, il lui fallait un feu de joie pour célébrer cette conquête de l'or qui salit, qui empoisonne, qui détruit tout ce qu'il touche!—Jusqu'à ce petit garçon de la veille auquel il avait jeté une poignée de pépites, et que la foule, paraît-il, avait à moitié tué en se ruant sur le trésor... Où donc était le bonheur en ce monde? Dans la richesse ou dans la pauvreté? Dans la vie ou dans la mort?

Une moitié de Yoshiwa s'écroula: des appartements éventrés apparurent avec leurs glaces qui se tordaient, qui fondaient au feu purificateur, des dorures aussitôt disparues, des marbres blancs ou roses qui éclataient, pendant qu'au-dessus des baignoires d'argent de petits filets pleuraient leurs dernières gouttes. On vit des matelas de crin qui se tordirent comme des êtres vivants, se dressèrent, retombèrent dans un enfer de flammes, et la foule cria d'horreur. Un autre écroulement se fit dans une sorte d'explosion, les curieux se reculèrent; il ne resta plus qu'un large chaos noir d'où jaillissaient des myriades d'étincelles. Puis, de gigantesques gerbes de lumière rouge s'élevèrent de nouveau vers le ciel. Un lieutenant de pompiers cria:

—Il faut protéger l'église des Franciscains: voyez, les flammèches vont par là...

Tout le monde regarda de ce côté, le Roi avec les autres. L'église apparaissait comme en plein jour, avec ses arceaux gothiques, sous lesquels, tant de fois, l'ange de la vie future était venu consoler les déshérités du siècle. Si la foule n'en eut guère l'intuition, Tom Tildenn, du moins, y pensa. Sur le faîte, très haut, la grande croix de cuivre resplendissait dans un ciel pourpre. Presque à son insu, il tomba à genoux, il tendit les bras, et ses lèvres, qui depuis l'âge d'homme ne savaient plus prier, s'ouvrirent malgré elles:

«Mon Dieu, si vous le voulez!...»

Sur terre, personne ne fit attention au cri du fou: le bruit haletant des machines dominaient tout le tumulte. Mais comme, à cette seconde, Tom Tildenn avait la foi—la vraie foi dont parlait Mère Saint-Joseph—peut-être, peut-être Dieu, qui l'entendit, fit-il un miracle au cœur d'une vierge.

FIN

Milton Keynes UK
Ingram Content Group UK Ltd.
UKHW050628301023
431584UK00009B/511